劉福春・李怡 主編

民國文學珍稀文獻集成

第四輯

新詩舊集影印叢編　第134冊

【穆木天卷】

流亡者之歌

上海：樂華圖書公司 1937 年 7 月 1 日出版

穆木天 著

新的旅途

重慶：文座出版社 1942 年 9 月初版

穆木天 著

花木蘭文化事業有限公司

國家圖書館出版品預行編目資料

流亡者之歌／新的旅途　穆木天　著 -- 初版 -- 新北市：花木蘭文化事業有限公司，2023〔民 112〕

134 面／126 面；19×26 公分

（民國文學珍稀文獻集成・第四輯・新詩舊集影印叢編　第 134 冊）

ISBN 978-626-344-144-6（全套：精裝）

831.8　　111021633

ISBN-978-626-344-144-6

9786263441446

民國文學珍稀文獻集成・第四輯・新詩舊集影印叢編（121-160 冊）
第 134 冊

流亡者之歌
新的旅途

著　　者　穆木天
主　　編　劉福春、李怡
企　　劃　四川大學中國詩歌研究院
　　　　　四川大學大文學學派
總 編 輯　杜潔祥
副總編輯　楊嘉樂
編輯主任　許郁翎
編　　輯　張雅淋、潘玟靜　美術編輯　陳逸婷
出　　版　花木蘭文化事業有限公司
發 行 人　高小娟
聯絡地址　235 新北市中和區中安街七二號十三樓
　　　　　電話：02-2923-1455／傳真：02-2923-1452
網　　址　http://www.huamulan.tw 信箱 service@huamulans.com
印　　刷　普羅文化出版廣告事業
初　　版　2023 年 3 月
定　　價　第四輯 121-160 冊（精裝）新台幣 100,000 元　

流亡者之歌

穆木天 著

樂華圖書公司（上海）一九三七年七月一日出版。
原書四十開。

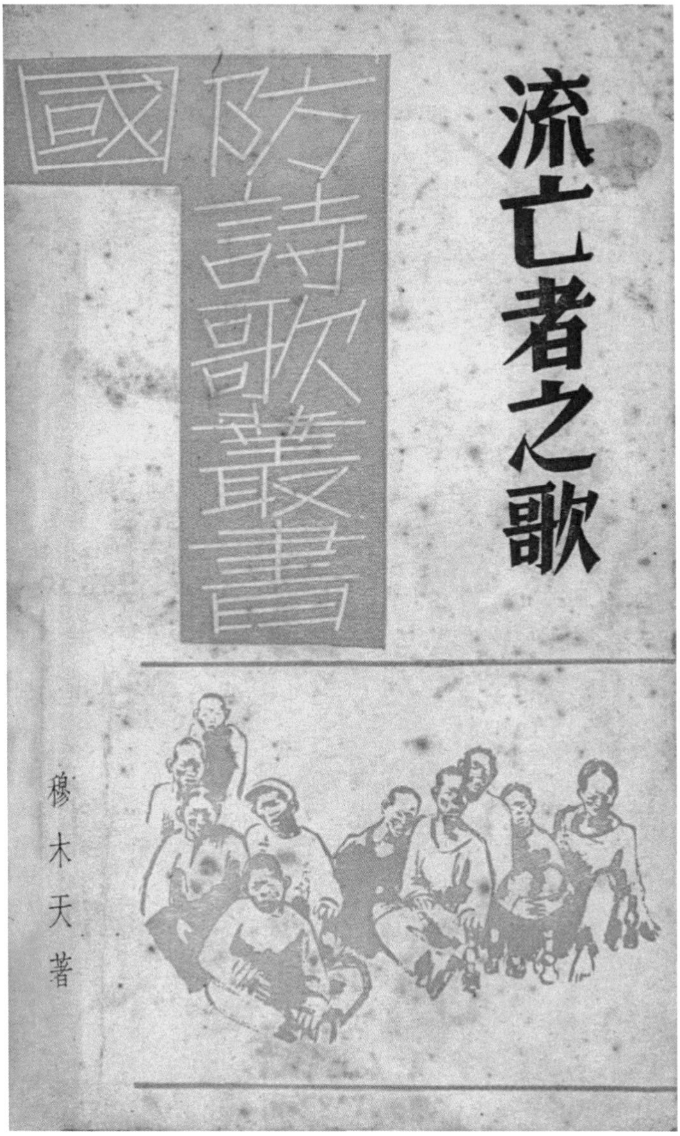
流亡者之歌
國防詩歌叢書
穆木天著

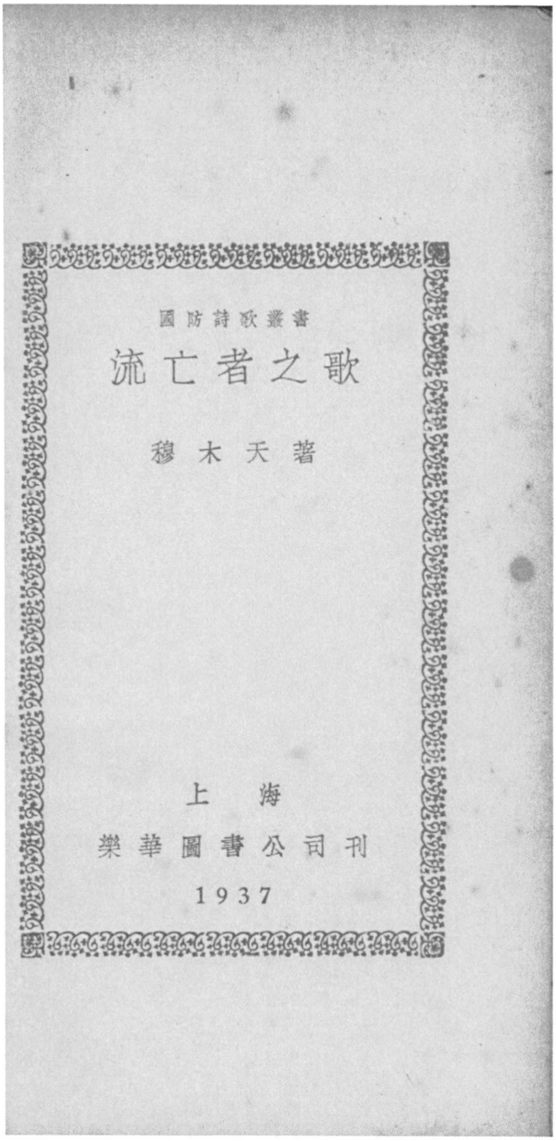

國防詩歌叢書

流亡者之歌

穆木天著

上海

樂華圖書公司刊

1937

國防詩歌叢書序詩

郭沫若

(一)

詩歌本來是藝術的精華，
他有音樂的渾含，造形美術的刻畫，
任何藝術的成分，——他都可以包括它。

小說和戲劇中如沒有詩，
等於是啤酒和荷蘭水走掉了氣，
等於是沒有靈魂的木乃伊。

然而詩詞也自有他的靈魂，
那便是語言的節奏，情緒的播音，
節奏可有緩有急，無節奏便無心聲。

節奏的成分歸根只有兩樣，
或是先揚而後抑，或是先抑而後揚，
前者使人消沉，後者使人激昂。

譬如催睡的兒歌，古寺的暮鐘，

【1】

都是發聲揚而後聲幽抑濛朧，
把人引到的境地，是睡眠，是渺茫，是空。

宗教的頌歌愛採取這種音調，
因爲牠能幫助雅片的麻醉，幫助教條，
正義如入了睡眠，吸血者自然更好。

但我們所歡迎的甯是澎湃的海潮，
它從海心捲來，聲音是由低而高而更高，
奮迅地打上岸頭，令你腕鳴血跳。

（二）

我們的民族需要的是覺醒不是睡眠，
催眠歌的音調應該暫時放在一邊，
讓它在幼兒的搖籃旁陪着母親做針線。

我們的民族在異族統制下睡了三百年，
睡眠的重量依然還沒有脫盡我們的眼，
我們的身上又受遍了帝國主義的萬箭。

多打幾下嗎啡針也可暫時安然，

然而民族的命脈將要永遠淪陷，
滅種滅族將如美洲的馬雅人種一般。

馬雅人在美洲曾經有高度的文明，
不知是幾時殲滅得毫無踪影，
只在些殘碑斷碣上剩着不可解的奇文。

我們這民族如是比馬雅人還要劣等，
那就讓他死盡也無多大的重輕；
然而這民族卻是世界上的選民。

這民族已有四千年的文明的歷史，
他能創造文明不亞於希臘與埃及，
只可惜最後的封建階段未能揚棄。

這揚棄的拖延招致了他的落後，
卅年來他已逐漸覺醒在驅逐他的寇讎，
如今他要在最前線和猛惡的帝國主義決鬥。

（三）

帝國主義在和我們爭賭生死存亡，

【3】

我們的復興是帝國主義的送葬，
帝國主義怕的是四萬萬人的全體武裝。

帝國主義在這兒運用他的陰謀，
他於化學兵器之外還使用着內攻，
他由民族中造出漢奸來發生出魚爛作用。

這作用有種種不同的步趨，
或用大刀斫殺，或用白丸痲醉，
復古，存文，「…………」都是這一類。

我們就這樣膏血被人搾取，肝肺被人挖，
四肢五體日日在被人凌遲碎剐，
最後的裁判已經逼在了我們的眼下。

我們要鼓動起民族解放的怒潮，
我們要吹奏起誅鋤漢奸的軍號，
我們要把全民衆喚到國防前線上把帝國主義打
　　倒。

我們的國防同時是對於文化的保衞。

【4】

我們要在萬刼不返的破滅之前救起人類，
我們民族的復興是世界文化向更高一個階段的
突飛。

現在是民族復興的時候，也是詩歌復興的時候
，
復興起這藝術的靈魂使小說和戲劇中都要有酒
，
喚醒起全民衆趨向最後的決鬥！趨向最後的決
鬥！

一九三六年十一月十一日作

【5】

流亡者之歌目次

一. 別鄉曲

二. 守堤者

〔1〕

四. 我們的詩

三. 村江之夜

流　亡　者　之　歌

别　　鄉　　曲

寫給東北的青年朋友們

到處是民衆的苦痛，
到處是民衆的淒慘，
朋友，睜大了眼睛，
睜大了眼睛看我們的目前。

看罷，我們的民衆帶的鎖鏈；
看罷，我們的民衆背的負担；
看罷，到處的土紳土匪；
看罷，到處的嗎啡雅片；

〔1〕

看罷，南滿沿線的公學堂；
看罷，各地方的滿洲銀行；
看罷，壟斷輿論的華字外報；
看罷，私販軍火的外國藥房；

看罷，那些化裝的調查團；
看罷，那些木材的買辦；
看罷，是誰占據了吉長吉敦鐵路；
看罷，是誰釀成了本溪湖事件。

朋友，這些事哪個不需我們調查。
朋友，這些事哪個不需我們表現。
朋友，不要忘了這裏的殖民地的彩色，
朋友，不要忘了這充滿矛盾的荒原。

朋友，這森林大野裏才有藝術的懷胎，
朋友，這殖民的盾矛裏才有眞的革命情懷。
朋友，低下頭看這被壓迫的民衆。
朋友，培成革命的意識，寫盡他們的悲哀。

一九三〇，七，二八，夜，吉林。

又到了這灰白的黎明

又到了這灰白的黎明，
　又聽見這軋軋的車聲。
朋友！你們還是在作殖民地的賤民？
　朋友！你們還是在作人間的勞動？

朋友！你看哪裏不是血腥？
　朋友！你看哪裏不是強盜橫行？
朋友！你看是誰賣盡了血汗？
　朋友！你看是誰得到了尊榮？

〔 3 〕

朋友！你看誰在作鴉片的甜夢？
　朋友！你看誰在想賣國的光榮？
朋友！你看誰在伸着他那些毒牙？
　朋友！你看誰在計劃把你們壓迫重重？

朋友！春去了還是復來；
　只有你依舊軋軋在淸晨之街。
莫非你們要作他們的永久的奴隸，
　要永遠在這空街上往來？

朋友，時間一天一天地到來，
　朋友，人間的努力要把人間的運命更改。
朋友，不要再作被搾取的工具啦。
　朋友，對於我們的敵人要武裝起來。

朋友，那時呀；雖仍是這樣的黎明，
　朋友，那時呀，雖仍是這樣的車聲，
朋友，只要我們努力，我們抗爭，
　朋友 那時我們要造成爲人類的永遠的勞慟。

一九三〇，七，五，吉林

〔 4 〕

別　鄉　曲（一）

永別了，的我故鄉，
我的雲山蒼茫的故鄉，
我的白雪罩籠的故鄉，
我的烟霧沉沉的故鄉…

今日啊，我拿着我的行囊，
在這鉛灰色的淸冷的早上，
我不得已要離開你的懷中，
在我在裏邊待過這年半之後。

〔5〕

今天這車站是特別的淸冷，
只有幾個農民在那裏擦手，吹氣，
我拒絕了一切要送我的朋友，
他們的送別只是加重我的担荷。

往日啊，我是想把你早早離開，
今日啊，我對你却是眷眷不舍，
往日啊，我非常憎恨那在你裏邊盤據的禽獸，
今日啊，我却怕你永淪於羶羶。

今日啊，我把你前前後後想來想去，
我想着日本的利刃，軍閥政客的刀鋸，
農村的破產，農民的無知，
靑年們欲受却受不得敎育。

我想着你的法界的賄賂公行，
我想着你的軍警的恣意搶掠，
我想着你那掛革命招牌的自治人員

〔 6 〕

在勾結土豪地痞任意敲詐迫害鄉民。

往日啊，或者我們還希望易幟，
但今日易幟却成為他們榨取的護符，
他們有人把熱河行宮的古器搬入他們的私宅，
他們有人還計劃為鬍帥建修紀念的碑閣。

我想着因講「祖先崇拜論」所起的風潮，
我想着因讀「白屋文話」查封了一個學校，
我想在獄中的那些無辜的朋友，
我想着那些出入無路的學校的青年。

我，想來想去，待在清冷的驛中，
我，在無多人的這車箱裏邊，馳想，
故鄉啊，我想也許你永遠流於羶羶，
故鄉啊，容許你永遠到不了水平線上。

永別了，我的故鄉：
我的雲山蒼茫的故鄉，

〔7〕

我的白雪籠罩的故鄉，
我的烟霧沉沉的故鄉！

別鄉曲(二)

火車開了,打破我的寂悶,
我又看見了白雪籠罩的平原,
我看見農夫駕車奔馳道上,
我看見了逶迤的田畝,一望無邊。

一切像在白雪裏蒸騰,
一切像在白雪裏鼓動,
一切裏像存炎炎的烈火,——
我們農民的努力,我們農民的熱情。

〔9〕

我看見白樹三五圍繞的農村，
我看見草房，馬棚，猪棬‥
我看見在場院玩的兒童，
我看見在忙忙碌碌的農夫農婦。

賣柴的爬犂趕出在道上，
又好像舖店的外櫃在路上奔馳。
我看着一個人一個人而帶着菜色，
我看着那些農人忙了一年得不着報酬。

那裏，我們那高高的龍潭，
你能不能給他們一點安慰？
那裏，我們那一帶的大江，
你能不能給他們一點休息？

你們知道罷，他們的先年的安樂，
可是他們安樂是幾時失掉？
你們知道罷，他們的先年的富裕，

可是他們的先年誰沒有今天這樣的豐收?

他們現在呀，只是努力，
可是他們越努力越換得他們的貧窮，
昔日十頃之家
今日大抵變成了傭工。

他們一年的血汗賺賺地賣弔，
只換了幾種高價的日本物品，
他們辛辛苦苦存得的銀錢，
還不夠保衞軍警一朝的搾取。

「打粳米，駡白麵，不打不駡小米飯，」
——我想着這些軍警們下鄉的口號，
切腹還租，毆殺地主……
——我想着這些農民的不得已的行爲。

我想着巳往，現在，種種農民生活，
我想着左一重，右一重，種種方法的剝削，
〔11〕

我想着種種的苛稅苛租，
我想着日本帝國主義的方法，政策。

我忍不住了，我忍不住了，
我好像要捉住我們的農民向他們吩說：
朋友啊，你們今天還是睡覺？
朋友啊，你們知道不知道必然的趨勢要將你們
　沒滅？

朋友，朋友，我的勞苦終年而不得報酬的農民，
你們啊，要向壓迫者豎起你們的叛旂，
你們啊，要向日本帝國主義者決鬥，
你們啊，要向壓迫我們的牡狗屯軍閥進攻。

你們要團結起來，你們要團結起來，
勝利終歸於你們，勝利是終歸於你們。
你們呀，是要作永久的奴隸？
你們呀，還是要作足衣足食自由平等的人民？

〔12〕

龍潭山不能安慰你們，
松花江不能給你們休息，
除非你們享有大地的豐饒，
你們把黑水白山收爲你們農民自有。

在這淸冷的車中，我想着你們的運命，
你們所受的犧牲和你們所有的熱情。
我看——一切都在鼓動，
我看——你們的一切都在奔騰。

我看着你們在明晶的雪路上的勞作，
我想着你們必然的勝利，你們最後的成功；
我看這白雪茫茫的平原，
啊！火車行着，打破了我的寂靜。

一九三一

〔13〕

奉天驛中

今天我又進入這雜沓的人羣，
今天我又聽見這喧囂的聲音，
　　在燈光輝煌的夜晚，
我只是彷徨，但我却想嗚咽。

　　這是我的故鄉，
但我的故鄉十年來居然大變。
昔日是朴素的農田，
　　今日也布滿了工廠的雲烟。

現在啊，是黃色的燈光，黃色的燈光，
現在啊，是汽車的聲响，汽車的聲响，
到處啊，滿是目染色的中國人，
到處啊，是日本帝國主義的喜氣洋洋。

這帝國主義的支配已完全成形，
民衆只知道壓迫但不敢出聲，
任他們榨取，任他們壟斷金融，
民衆啊，只是用他們血汗度他們的殘生。

我想到了他們任意地生殺予奪，
我想到了一個小孩因折樹被折斷了胳膊，
我想到了去年本溪湖的事件，
我想到了他們的嗎啡公賣，殺人放火。

火開了又來，
那門啊闔而復開，
夾雜在日本調的中國語聲裏邊，
那旅店的人只是呆呆地送往迎來。

〔15〕

我對着塵埃的灰黃，
想到天邊，想到民間，彷徨地默想，
　　啊，哪一聲汽笛不是帶走無數的血汗，
啊，哪一聲笛不是帶來了千萬的刀槍。

　　千萬的刀槍打入了民衆的身軀，
千萬的刀槍刺入民衆的心上，
　　民衆總有一天想到了苦痛，
他們那時要舉起旂來向你們反抗。

　　「本溪湖行」的聲音揚而復抑，
「大連行」的聲音停而復來，
在這燈光輝煌的夜晚，
心如刀刺地，我只是彷徨往來。

一九三一

啊！烟籠着的個這埠頭

啊！烟籠着的這個埠頭！
啊！黑炭般的鑽石般的房屋！
我今天又同你離別，
你又從你的臟腑中把我吐出。

我這一天的漂泊，
我感着無限的心緒，
我在你鼓動着的心窩，
我好像見着當日的村曲。

當時啊，有人說是一個泥窪。
當時啊，有人說是一個漁村。
你那個唯一的歐化的都市，
當時啊，一片荒涼，怕是寂寥無人。

今日在你這羣山懷抱之中，
今日在你這灣浦曲折的裏面，
你的汽車，電車，火車，馳騁來往，
你的担夫苦力不住地奔忙。

你的烟囪管塵埃埃的在天邊，
你的警查直挺挺地站在街衢，
你的生氣勃勃，你的趾高氣揚，
你的勝利的人們來往奔跑。

可是，在你的騰動的裏邊，
我看見了一個先兆，
我看見血腥，血腥變成了憤怒，
我看見汗臭，汗臭藏着利刃。

我看見你的利益倍蓰的裏邊，
在你的得意洋洋的勝利的內面，
那些欲死而死不了人的叫聲，
那些被搾取的人們的哀嘆。

那些人將要結合在一起，
那些人將要團聚在一團，
那些被壓迫者的彈力
將來要把你帝國主義的支配推翻。

今天我看見他們的力量在聚集，
我看見在他們無言中凝着他們的精力，
他們一旦彈漲起來，
那時要打倒你的帝國主義。

今日我雖看見一片血猩，
但我見血猩裏邊藏着希望。
今日我雖看見人間牛馬的呻吟，

〔19〕

但在我們看見呻吟裏存着刀槍。

啊！煙籠着埠頭！
啊！煙燻的箱子般的房屋！
啊！今天把我的悲哀變成了希望，
你把我從你的臟腑裏吐出。

一九三一

輝煌的大樓

輝煌的大樓，
Paul Morand 所歌頌的輝煌的大樓，
藏嬌耽樂的大樓，
端坐在十字街頭。

裏邊傳出悠揚的聲音，
但聽見聲音見不到歌舞的人羣。
四面是燈火煌煌，
但這煌煌的火城却作成了禁閉的圍牆。

〔21〕

四壁外是洋車汽車，
四壁內是舞蹈聲歌；
四壁外是紛紛地雨雪，
四壁內是瞬間的陶醉，剎那的歡樂。

在煌煌火城的內面，或者有人在哀弔着當年的
　希臘，
或者在吸着煙斗，想着當年的愛羅綺斯，
或者在談着古代宮庭的繁富，
或者在暗嘗着幽美的愛的田園，

或者有人想着怎樣做官，怎樣發財，
或者有人想着今後金融如何展開，
但是他們都瞅着那些女人的胸脯，女人的大腿，
他們都想着用他們的金錢去買到他們的纏綿的
　悲哀。

門外一聲突突突……一輛汽車停止，
一個西裝的博士慢慢從車門而出，

他帶着××××的徽章，走入門口，
一邊在想着紐約支加哥，得意洋洋的神情。

隨後，又是一聲兩聲的汽笛飛來，
載來些老老幼幼，男男女女，
隨後又是一聲兩聲的汽笛飛來，
拉去了陶醉倦了的那些東西。

但一陣，燈火更爲輝煌，樂聲更爲洪亮，
而也正在這時，外邊的雪更厲害地飛揚。
也正在這時有人活着扔掉了他的初生的嬰兒。
也正在這時，那瘇腿的乞丐赤身露體坐在路邊。

今夜啊，不知哪裏又凍死了無數的人民，
今夜啊，不知哪裏又有多少人無衣裹身，
但今夜，博士們在這煌煌火城中陶醉，
大人先生在他們的窩中安臥，詩人在爐畔呻吟。

煌煌的火城，

〔23〕

坐在十字街頭，
從哪里外國軍艦來的禮砲，
應和着這喧亂的音樂，
似在祝福這巍巍的大樓。

一九三一，一，二七

守　提　者

我們要唱新的詩歌

我們要唱新的詩歌，
歌頌這新的世紀。
朋友們！偉大的新世紀，
現在已經開始。

我們不憑弔歷史的殘骸，
因爲那已成爲過去。
我們要捉住現實，
歌唱新世紀的意識。

〔25〕

一二八的血未乾，
熱河的炮火已經燭天。
黃浦江上停着帝國主義軍艦；
吳淞口外花旂太陽旂日在飄翻。

千金寨的數萬礦工被活埋，
但是抗日義勇軍不顧壓迫。
工人農人是越法地受剝削，
但是他們反帝熱情也越法高漲。

壓迫，剝削，帝國主義的屠殺，
反帝，抗日，那一切民衆的高漲的情緒，
我們要歌唱這種矛盾和他的意義，
從這種矛盾中去創造偉大的世紀。

我們要用俗言俚語，
把這種矛盾寫成民謠小調鼓詞兒歌，
我們要使我們的詩歌成為大衆歌調，
我們自己也成為大衆中的一個。

〔26〕

我們唱新的詩歌罷。
唱頌這偉大的世紀，
朋友們！我們一齊舞蹈歌唱罷，
這偉大的世紀的開始。

一九三二

〔27〕

掃　射

這是一九三二年的夏天，
那些天眞的民衆受了帝國主義的掃射，
他們就了他們所預想不到的死，
在那青青的山坡之傍，陽光輝耀之下。

那些人有的是小販子，有的是小商人，
有的是手藝人，但是大多數是佃農和僱農。
數目有人說是三千，有人說是五千，
可是堆在山坡之傍的尸骸是誰都不能數淸。

說起來是這麼樣的一回事情，
從九一八以來帝國主義越法來壓迫中國民衆，
他們派來數十萬大兵在我們東北大野橫行，
唐克車，鐵甲車到處飛跑，大炮炸彈到處轟殺我
　們的民衆。

豪紳地主投了降，軍閥政客不去抵抗，
一塊豐饒的大野和數百萬的民衆白白作了犧
　牲，
農村破產，水災，饑饉，失業，接二連三地跑了出
　來，
眞是弄得那餓殍遍野，哀鴻載道，民不聊生。

俗語說的好，官逼民反，兔子急了還咬人，
重重的壓迫和剝削一下子弄出來了義勇軍，
說起義勇軍來那眞是神通廣大，
一個人，兩個人，轉瞬間就是好幾萬人。

帝國主義者們說那些義勇軍都是「土匪」，

〔29〕

不是的，那些義勇軍都是善良的百姓，勤苦的農民，
受壓迫受得不堪他們才武裝自衛，
他們要打倒帝國主義，所以帝國主義給他們加上「土匪」的罪名。

那些義勇軍南征北戰，東打西殺，
日本帝國主義的軍隊被他們弄得是頭亂如麻，
這一天的上午他們曾經退出了這個村莊，
他們曾經佔據了七八整天，使日本軍隊出了好多死傷。

自然是因為日本帝國主義有毒辣的武器，
所以義勇軍為戰略的關係從那個村子裏退去。
在村子裏住防自然要受當地的民衆的歡迎，
可是因為莊稼種在地裏，民衆是不能同他們退去。

閑言少敍，待我把正傳來說，

且聽我說罷，帝國主義是爲什麼是如何地把他
們掃射，
說起帝國主義來眞是心裏藏刀，手段毒辣，
那些民衆受了掃射還不知是爲得什麼。

義勇軍退去了，一隊日本兵開進了村莊，
一個軍官領着，眞是神氣極了，儀表堂皇。
他們全副武裝，還帶着大砲和機關槍，
一！二！三！一！二！三！地走進來，眞是得意揚揚。

民衆雖然是歡迎義勇軍，
但看見帝國主義軍隊也是不敢出聲。
那些善良農民只知道誰作皇帝給誰納晉，
他們哪知道帝國主義是來吸他們血抽他們筋。

日本軍官一進村莊滿目笑嬉嬉，
他召集當地的民衆要作一個訓辭，
那些個慈良的民衆哪個敢不來，
於是那些老老幼幼，男男女女，團團圍坐地聚在

〔31〕

一起。

當然是有的抽着黄烟，有的抱着孩子，
有的光脚露胸，戴着草帽，有的穿着長衣，
他們聚在那裏，規規矩矩，一言不發，
靜靜地等着那位日本將軍說那種結結巴巴的半
　中國話。

那位將官說出來：「我們都是同種同文，」
隨後他又說出來：「我們日滿是一家人，」
他過了會兒又說：「你們那些良民，要接授大日
　本帝國的皇恩，」
最後又說：「我們要給你們照像證明你們不通匪
　都是好人。」

張三聽見笑嬉嬉，對王五說：「這眞不難，」
李四回頭對趙六說：「下次別的日本人來我們可
　再不會受欺」。
老太太對小媳婦說：「日本人還是講理，」

〔32〕

張大娘對李二嫂說:「這個年月，我們這樣也算
　有福氣」。

忽然發出了一聲「排好!」的口令，
男男女女都爭先恐後地往前擁擠，
有的蹺着脚用力地探起頭來，
但日本兵打着罵着不多時就給排得整整齊齊。

大家聚精會神地在那裏等着拍照，
這時一個日本兵把放置好的相機的鏡頭搖了一
　搖，
照了第一片他說:「等等!再照第二片!」
可是在這時機關槍就啪啪地響起來了。

有的人聽見機關槍聲還有點莫明其妙，
有的地方發出喊叫聲如鬼哭狼嚎，
又像有的地方發出來「爲什麼沒當義勇軍去!」
　的嘆息，
又像有的地方發出來「爲什麼沒有同日本人拚

〔33〕

一下!」的喊叫。

忽然見間機關槍的聲音停住了,
三五千的民衆一起在地上仆倒,
日本軍隊把尸首用照像機照了下去,
隨後倒上了煤油,放了火給他一燒。

第二天滿洲,朝鮮各報紙登出來一個很長的新聞,
說:「皇軍大敗義勇軍,斃匪五六千人。」
可是屠殺善良的百姓的事實終被世界大衆知曉,
這種消息從一個村莊傳到一個村莊,從一個苦人傳到一個苦人。
這一種消息因更加強了反日義勇軍,
這一種消息因更增加了大衆對帝國主義的仇恨,
因爲每個農民每個工人都有同樣被掃射的運命,

只是為那些被屠殺的報仇才能把那種運命刈草
除根。

這是一九三二年的夏天，
那些天眞的民衆受了帝國主義的掃射，
他們就了他們所夢想不到的死，
在那青青的山坡之傍，陽光輝耀之下。

一九三三，二，二三

〔35〕

在哈拉巴嶺上

現在 夜里，那蒼鬱的古木上，只是壓着黑暗的
　重雲，
只是像山鳴谷應地鬼哭狼嘷，而很難瞅見有
　隻行人，
雖然有看路的日軍，三三五五地，在那裏巡視新
　修的鐵路，
可是那依稀的燈光，那蕩動的人影，越是顯出那
　種陰暗，深沉。
在那黑沉沉的暗夜里，那峻嶺的古木之上，只是
　壓着沉雲。

〔36〕

先年，恐怕十年前也是這樣，這座峻嶺上充滿着
　虎豹豺狼，
使這座巉嶺成爲了「一夫當關，萬夫難過」的天
　險，
那種巍巍的崇高，那種深鬱的古木的蒼翠，使人
　見而生畏，
那在羣山拱抱之中，高高挺起身子，好如東方的
　堡壘，
那邊的是延邊，這邊的是敦化，他給隔開，像誰
　都不管誰。

那邊是廣汎的移植過來好多地韓民，到處人烟
　繁密，
這邊大部分是荒地，狩獵的狩獵，挖參的挖參，
　地大人稀，
那邊是有暴動，有叛亂，有日警的嚴邃的偵視，
　有拼死命的决鬥，
這邊是有一座小城，一道窄江，和些個沒有人徑

〔37〕

的空曠山林，
這邊是些原始居民，也有一些狡猾的商人，可是
同樣日趨貧困。

昔日裏，威虎嶺上老虎在咆哮，可是現在老虎已
鼠竄而逃，
那威虎嶺滿佈着松林，是由省城入敦化的必經
大道，
可是現在通過了火車，火車頭吼吼地叫着，應和
着輪聲轔轔，
人們說火車頭是老虎的爸爸，也許老虎認爲那
是天神，
火車開通趕走老虎，可是民衆也日日在被吸血
抽筋。

那裏的崇高的樹木，直直地矗天，有五六尺的直
徑，
牡丹江帶繞着敦化，江邊有敖東古城的遺址，
那裏有筆直的黃花松，有沙松，有果松，一望無

邊,
那裏有黑黝黝的煤塊,有鹿茸,有千年萬年的山蔘,
可是這種天然的寶藏不能救貧,反到加速他們的破產。

現在呀,更是一年不如一年,在那裏佈滿了陰沉的黑暗,
吉會路穿過了哈拉巴嶺,如同是長劍穿過了他們的心臟,
長蛇一般的火車奔馳地跑過,越法地,越法地,深化了他們的瘦黃,
那帶走了他們的血液,却帶來要屠殺他們的炸彈,大炮,刀槍,
以先,他們只是挨餓受凍,現在呀,他們是日日在受殺傷。

現在呀,飛機,炸彈,天天在他們頭上炸轟,機關槍在掃射,

〔39〕

大砲在雷鳴，鐵甲車，唐克車，在冰天雪地的道上奔馳，
莽莽的大野濺了他們赤血，森林 山谷，處處見到他們的死屍，
已經快三年了，九一八的事變，可是這三年來，他們在處處血戰，
這三年來，田園荒蕪，農村破產，可是那却使他們血染了這山林野原。

哈拉巴嶺！啊！巍巍乎的高山！啊！哈拉巴嶺；你知道他們南征北戰，
你知道罷，他們在炸橋梁，爭車站，與敵人拼命肉搏，
你知道罷，禾生壟畝，無人收割，他們一邊在挨餓，一邊在鬥爭，
哈拉巴嶺！你知道爲那條鐵路殺了多少生命，無辜的生命，
啊！哈拉巴嶺下像流着一條血河，哈爾巴嶺上是密佈着雲層。

〔40〕

說這話是一九三一，是在冬天，離「九一八」沒有
　好久。
在密密的林中，聚着好些好漢，是在哈拉巴嶺的
　山腹，
有矮子王三。有大個兒李九。有小學教員張奉，
　還有別的朋友，
他們有的是農民，有的是獵戶，有的當過路工，
　有的幹過巡警，
他們持着槍，拿着棒，他們成羣聚在那裏，坐着，
　躺着，計議。

天上望不見明月，也望不見點點疎星，四外是一
　片黑幕濛濛，
四外聽不見別的響動，聽不見有飛禽走獸，只有
　風聲樹聲，
他們圍着他們的孔明燈，團團地圍住，講了現
　在，講了當初，
他們以先都是良民，也曾想過安分做人，誰作皇

〔41〕

帝給誰納晉，

可是，現在呀現在，他們聚在這裏，圖謀不軌，想
着冒險的事情。

「省城傳出來消息，說日本要強迫地修吉會鐵
路，」李九說起，

「我作過多少年的路工，知道這種事體，測量員
不久快到這裏，

鐵路上的人告訴我的，說快要來啦，到時再告訴
我們消息。」

「眞麼！眞麼！」別的人們說，「若是眞，就給他拼
個我死你活。」

「好 好，」李九說「這是我們的地方，我們不許他
們把鐵路修在這兒。」

矮子王三開言問道：「李九，且聽我說，現在有沒
有新聞？」

「有的，大老徐 天天同熙洽吵架，熙洽又討了
兩個日本女人，

〔42〕

前幾天，義勇軍攻打長春縣，在那裏殺死了好幾
百敵人，
洋學生被「滿洲國」捉去了六七十個，切了脖子，
懸首四門，
走路的各各都要受盤問，少不留意，就被捉去，
說是歹人。」

㈠ 爲吉林土娼，風騷，有術，被熙洽討爲姨太太的。

「我還聽說半月前義勇軍破了雙陽，又到了省城
的還騎嶺上，
「大老徐害了怕，熙洽也着了慌，」說這話是張
奎，把個個人臉面端相，
「我知道是怎樣失的錦州，怎麼失的瀋陽，那全
都是不抵抗，
「聽說鎮靜的鎮靜，跳舞的跳舞，叫士兵服從，一
晚送了無數人命，
「熙洽呢，他是多門的學生，一迎，二迎，三迎，
親自到了土門嶺，

〔43〕

「你們還記得罷，是九月十九，省城掛了日本旗
子，日本兵進了城，
「大老徐急得心驚意亂，因爲那兩個日本女人
長的眞行，
「那天滿街貼着安民的告示，不許人撕，撕就要
割脖子，㊂
「滿城中作着軍樂，日軍把着八門，飛機搭搭飛
着，撒着傳單標語，
「記得罷，那是九月十九，那時，我們是有名有實
地作了奴隸！

㊂ 據說，愛國的民衆被處刑時，不槍斃，不砍頭，是用刀
割二子，狀慘令人不忍目睹。

「那兩三天中，日本帝國佔了瀋陽，遼陽，
吉林，長春，
佔了營口，牛莊，溝幇子，聽說打營口只有二
十個人，
「他們進了錦州，是開着正步，叫着：一！二！一！
二！……

〔44〕

「他們一直趕到山海關，在北邊，同時也進了
　蒙古塔，佔了卜奎，
「記得罷，那是九月十九，那時，我們成了明顯的
　帶着鐵鏈的奴隸！」

「從那時我們這塊土就處處受掃射，處處有人被
　割脖子，
「我的弟弟砍死了，我的母親哭死，李九呀，你
　那裏是不是也是如此？」
「朋友，你說的是，我那裏也一個樣子，我那哥哥
　，你知道，是爲人耿直，
「他恨那日本當鋪，日本藥房，說那賣嗎啡，販
　軍火，所以也遭横死，
「朋友呀！那也是九月十九，從那天起，我們這兒
　不知出來多少慘事。」

「那是九月十九，那是九月十九，」各各人心裏都
　重念，「那是九月十九！」
風仍在那裏吹，樹木仍在那裏響，各人心中流

〔45〕

淚，淚流在各人臉上。
風又似發狂，樹又在越法振響，好像都在說：「那
是九月十九！」
陰雲沉沉要墜，好像要壓住這座東方堡壘，似有
新鬼舊鬼，
包圍着這座山林，好像又有虎狼在嘯都在說：
那是九月十九！」

可是寂靜終被打破，在流淚裏，又有什麽人在開
始說出如下話語：
「我們家破人亡，流落在這個山溝，你們哪知道
「新京」裏，
有人在出風頭，在運動作官，聽說宣統快要登基
坐了金鑾
榮三㊂還是有錢，熙洽越法有勢，我們縣里的
大紳，都搬城到裏，
剩下的只是我們，我們無財無勢，地又不能耕
種，才作了亡國奴隸！」

㊂榮厚，舊吉林財政廳長，現在滿州國財政界要職，爲滿

清貴族，行三，故有此渾名。

「我們雖然貧窮我們還有熱血，我們這個嶺上
不許他們修鐵路，」
這又是一個人，怒忿忿地在說，「反正是武大郎
服毒，㈣ 什麽都得捨出！」
說着他又流淚，流過淚他又說，他說出多麽厲
害是那條鐵路，
他說那條鐵路如何快地載來敵人的槍械子彈來
殺中國民衆，
「反正是一個死，我們且拼一拼命！」他說，淚流
着，最后不能成聲。

㈣ 土諺，武大郎服毒，吃也死不吃也死。

忽然間，大家像是興奮，說：「 不準他們鐵路過
此」於是，下了決議：
大家把守這座哈拉巴嶺，用各種方法，不叫鐵路
修成。
他們到農村找失業朋友，到城里去找貧窮的弟

〔47〕

兄，
人越來越多，足有二三百個，來了好多學生 教
　員，更有打槍老手，
他們在省城按好深子，各處埋伏，各處擾亂，想
　阻止吉會鐵路。

那天從嶺上過來一羣人馬，是一些高麗人 ，來
　自所謂的「 間島」，
那是韓國義軍，是被壓迫的民衆，家屬也同樣地
　遭過屠殺，
他們拿洋炮快槍，有的拿着棒，他們要過嶺來破
　壞吉敦鐵道，
他們深深感到，日本佔了東北，也是給他們朝
　鮮人多加一道鏈條，
他們要響應，響應中國義勇軍，共同聯合起來
　被壓迫的民衆。
他們過嶺，是在那天淸早，在東方，還沒有太陽
　的輝耀，
巡哨的看見趕快回來報告，因還有兩個日本人

同他們一道，
「不好了！不好了！諸位弟兄！諸位弟兄！小鬼子
　發來了大兵！
「快醒醒！快醒醒！」這令大家吸了一驚，睜開了
　睡眼惺忪，
端好了槍，提住了棒子，揚着大刀，大家鎮靜着
　預備去衝。

這才是「大水冲了龍王廟，自家人不認識自家
　人。」
幸而，那些朝鮮的朋友還手急眼快，沒有慌神。
出來一個人作了一個反揖，⑮ 慢慢地說出了如
　下的話語，
「諸位弟兄，有所不知，兄弟有禮，我們是從琿春
　偷着來的，
「我們是高麗人，這兩個日本人也是反帝的，
都是朋友，一個樣的。

⑮ 土匪用的敬禮，作揖時，手向相反的方向，即左邊拜。

〔49〕

「你們在這裏遭屠殺，我們也是同樣，你們都想
　不出那種慘狀，
「多少人被殺死，多少人被燒死，告訴你們你們
　都不信那種情況，
「說又有什麽用，要的是大家抗抵，向着帝國主
　義大殺一場，
「我們是一家人，我們都亡了國，現在只有我們
　大家要強，
「這兩位日本朋友也許有話要說，諸位朋友！要
　不要他們說個端詳？」

大學生李風舞，和聰明的張奉，止住了衆人，叫
　衆人放下槍口，
這時，兩個日本人，從頭到尾，到尾從頭，說了
　過去，說了過來。
他們說「九一八」是怎樣地是種必然，日本民衆
　生活也是如何悽慘。
這種結結巴巴的，半通不通的話言，聽見了，衆
　人都默默無言，

大家都心裏明白了是怎麼回事，於是他們結合
　成了大的集團。

於是他們在滿洲大野上北戰南征，到處去敢死
　拼命，
從各處取得聯絡，炸鐵橋，燒煤礦，打破了多少
　的大小縣城，
在山野上濺着他的血和敵人的血，使敵人驚魂
　失魄，
但是，他永不忘這座峻嶺，不叫敵人的火車在那
　裏通過，
幾次武裝的測量員屍骨無存地失蹤，據說就是
　他們的工作。

可是 現在呀現在 鐵道已經開通，帝國主義車，
　已從那里運兵，
現在，那裏已有日本軍隊守衞，那裏，夜裏，也有
　些暗淡的路燈。
現在，火車 如長蛇般地 吼吼地叫着，穿了過來

〔51〕

穿了過去，

然而，那裏仍是布着恐怖，那使帝國主義軍隊胆怯地走來走去。

今天聽見炸橋梁，明天說燒車站，有一次火車出軌，死了無數的敵兵。

現在，夜裏，在那蒼鬱的古木上，只是壓着黑暗的重雲，

那裏火，重雲像是越法陰沉，哈爾巴嶺像是要把故事告訴給人，

哈拉巴嶺像在點着頭，而露着猙惡，那令護路的日軍各各各慌神。

那依稀的燈光，蕩動的人影！鐵路像是血河，鮮血淋淋！

在滿州的大野上，民衆在流着血，在抗爭，在那嶺上是密布着重雲。

一九三三，十二月

守　堤　者

啊！是有多少男人！是有多少女人！
那天，被掃射在帝國主義機關槍下！
是有多少的白髮老人望着兒女！
是有多少孩子眼望着爹爹媽媽！
狂叫着：守堤！守堤！哀呼着！狂叫着！
在炸一般的槍聲中，一個一個倒下！

現在，在那裏，是已沒有了他們的隻影！
現在，那座堤是已經被那些人鏟平！

〔53〕

是有多少人在那裏流了鮮血！可是，
現在啊！人們已經忘了他們的數目和姓名！
狂叫着：守堤！守堤！哀叫着！狂呼着！
他們的聲音，現在已湮沒入草色青青！。

滿目是青葱的稻波，一片一片！
他們的房子裏已不是冒他們的炊烟！
他們的祖墳已變成了人家的牧場！
他們的骸骨已成灰灌溉人家的稻秧！
狂叫着：守堤！守堤！哀呼着！狂叫着！
他們的狂喊，現已湮沒入稻浪茵茵。

也許還有他們的記憶，他們的面容，
存留在一些隣近村莊的順民的心中！
也許是那些鮮民和那些掃射的士兵
還在記着他們的反帝抗日的英勇！
狂叫着：守堤！守堤！哀叫着！狂呼着！
現在，只有在夜風中渡着他們的幽靈！

啊！是有多少老人！啊！是有多少孩提，
用他們的鮮血，灌溉了那座河堤！
在那個兩河交流的富饒的田野里！
是有多少人死滅於帝國主義的鐵蹄！
狂叫着：守堤！守堤！雖沒有多人記憶！
現在我彷彿聽見他們的哀叫聲息！

東北！東北！偉太的名字！偉大的名字！
滿目的農田啊！你永遠縈迴在我的記憶。
那些崇高的山嶺！那些龐大的森林！
那一片黝黑的煤田！是永住在我的心里！
我的憧憬是向着你，永遠是向着你，
可是，現在呀你成了一塊血染的大地！

帝國主義的侵凌，苛捐，雜稅，農村破產，
海龍英，馬賊政策，你被剝削已過十年！
「九一八」！「九一八」！屠殺了你無數的農民，
鐵鳥在你的農村上天天吐下了炸彈，
被焚燒　被血洗　被掃射，是有多少的村莊，

〔55〕

不只種地沒飯吃，現在是有地都不得種！

說這話還是在不久的以前，在唐馬寨，
那是渾河與太子河的交流之處，
在那裏散在着好些農村，好些農家，
那些農民也曾有過溫飽，樂業安居，
他們春耕。夏耘。秋收，保護着他們的河堤，
可是，那河堤成爲了唐馬寨農民血染之地。

說這話是在今年的春夏之交，
在一天春光明媚中農民們受了掃射。
派來了一些日鮮浪人，到了太子河西岸，
開了一個稻田公司，租了良田百垧，
帝國主義派來了好些人來掘堤引水。
可是，那樣一來，那些大田就要遭了水害。

農民雖是順民，可是終不願意耐餓，
軍閥的剝削之後，又來了帝國主義壓迫，
這幾年來已經早晨不知道晚上，

看見了掘堤，他們哪能不各各急眼。
因爲那一條河堤是他們的命之所繫，
於是乎他們聯合起來想法制止。

他們請願，他們哀求；可是日本浪人，
哪管這一套　黃鼠郎是不聽小鷄唱曲。
那些順民　是連義勇軍都不敢去當，
可是，現在，他們不得不起來抵抗。
那一條河堤就是他們的老命，
爲得那一條堤他們就起來抗衡。

張家出來三哥李家出來四嫂，
男的女的，老的少的，都一起趕到。
大家出來　要拿出來老命拼幹，
集了四五千人連忙向河堤上飛跑，
他們住在堤上，吃在堤上，保護着河堤
還希望同帝國主義說個分曉。

可是奴隸的話是沒人聽的，

〔57〕

死就死，活就活 誰管奴隸有命沒命，
對奴隸哪裏不是用火燒，用刀砍，
誰管他們老的在哭，小的在叫。
「冲你們的地是活該，只要我們種稻子發財。」
帝國主義者叫他們從堤上滾開。

守堤呀！守堤！他們在堤上吶喊！
他們日夜地不睡覺住在堤上！
那些日鮮的流氓 說他們造反，
打發人到遼陽去請兵告急。
來了一隊大兵，攜帶着機關槍，
向着堤上的農民啪啪地掃射。

守堤呀守堤！狂叫着，老的少的，狂叫着。
機關槍啪啪地響着，血肉四散地飛濺着。
守堤呀守堤，狂叫着，有人說：衝上前去！
機關槍炸一般地掃射着，人體倒得遍地。
那些朴素的農民 那四五千的農民，
守堤！守堤！狂叫着 血染了那座河堤。

〔58〕

啊！太子河邊 啊！太子河和渾河的交流之處！
你們是不是爲帝國主義的兇暴而戰慄！
啊！東北大野！你的上邊踏遍了帝國的鐵蹄！
義勇軍和民衆的血 是灑滿你的山原和平地！
我憧憬着你，我的憧憬永遠向着你，可是，
東北的大野呀！現在，你是一塊血染的大地！

豈止這唐馬寨的悲劇，那是常事！
本溪湖，依蘭，有名的和無名的處所，
哪裏沒有流血，哪裏沒有屠殺，
哪裏不是餓的餓，死的死，被掃射的在被掃射！
唐馬寨的民衆呀！被掃射的民衆呀！
我聽見了你們的吶喊 看見了那道血河！

到處在同死搏鬥，在那東北大野之上！
可是現在又要設關和通郵通車！
中原的人們大部分都怕把你們忘却了！
恐怕得自己幹啦，到處去同死肉搏！

〔59〕

狂叫着：守堤！守堤！哀叫着！狂呼着！
那種吶喊呀，是要變成白刃相交的肉搏。

東北　東北，偉大的名字！偉大的名字！
你是我的搖籃呀！我在憧憬着你！
你那裏，是血洗了的山原，血洗了的平地！
反帝的鮮血在裝飾了你那錦繡的大地！
抗日的血呀，我要看你將來絢爛地開花，
佈滿了我們的東北，東北，偉大的名字！

啊！是有多少男人，是有多少女人啊！
啊！是有多少老人，是有多少小人啊！
在那裏守堤！在那裏守堤，預備肉搏！
各各要作守堤的人呀！各各要作守堤的人！
狂叫着：守堤！守堤！哀叫着，狂叫着！
向上肉搏，不然就是要受帝國主義掃射！

一九三四，六，廿二，夜

我 們 的 詩

兩個巨人的死

去年死了亨利，
今年又死了瑪克辛，
在全世界六分之一的地上，
緊挨着，失掉了兩個巨人。

巴比塞，高爾基！
　在黎明前，
　在黑暗的包圍裏，
這兩個人類的導師，
這兩個心靈的引領者，

〔61〕

在大衆的痛苦中，
你們死去了！

人間地獄的「種種事實，」
慘酷屠殺的「意大利的故事，」
摧殘人類的種種的獸行，
被這兩個巨人給暴露出來了。

高爾基，巴比塞！
在滿洲，
在阿比西尼亞，
在巴拉斯坦，
到處 是人類的獸行，
到處是屠殺是地獄，
在大衆的苦痛中，
你們死去了！

高爾基！你的生活同你的名字一樣，
眞是名符其實的苦辣——高爾基。

〔62〕

你從「深淵裏」渡出了你的「童年」，
你經過了「人間世」，「遍歷了俄羅斯」，
看過了那「四十年間」，目睹了舊時代的「沒落」，
　　而那是你那是你，
寫出來那些「意大利的故事」。
而，你呀，巴比塞！你呀！亨利！
你爲的祖國浴過槍林彈雨，
那是何等爲人類的自由平等的動機，
你看見過「地獄」你到過「火線下」，
你達到了「光明」，你認識了人類的「鐵鏈子」，
　　而，那是你，那是你，
寫出來那些殘暴的「種種事實」。

　　瑪克辛！亨利！
　　　那個暴殘的國土，
　　　那個殘暴的狼羣，
　　　是被你們給照耀出來了，
　　可是，現在，在蒙古，
　　　在滿洲，在到處，

〔63〕

是有更多的「種種事實,」
更多的「意大利的故事,」
而,現在,你們死去了!。

你們從「深淵裏」出來,從「火線下」出來,
你們的路逕,現在有好些人在走着,
像你們似地,傳達出被虐待者的聲音,
那些個人,普遍在全世界,
要傳播開那些更多的「種種事實」
和那些更多的「意大利的故事」。
你們的從「深淵裏」的教訓,在「火線下」的教訓,
是要被衆多的人傳遍到全世界,
在大衆的苦痛中,
那才是眞正的你們的遺產。

你們的死後的哀榮,
那或者是算不了什麼,
你們的生前所受的種種歡迎,
那或者也算不了什麼,

亨利，瑪克辛，
你們的偉大就是你們的人生的歷程，
就是那些個「種種事實」，那些個「意大利故事」。

在黎明前，
在黑暗的包圍中，
這兩個偉大的巨人死去了，
在滿洲
在阿比西尼亞，
「意大利的故事」和「種種事實」，
是越法地顯著了。
他們留下了偉大的遺訓，
這一個人的死令人憶起那個人的死，
瑪克辛呀！亨利呀！
兩個巨人的死！
從「深淵裏」出來的巨人，
從「火線下」跑出來的巨人，
這兩個巨人死去了，
給人類留下那偉大的遺訓。

一九三六，七，二

〔65〕

我 們 的 詩

小市民的悲哀呀，
都市生活者的虛無；
公式主義的幻影呀，
我們同現實缺少接觸。

像是捉住了現實形象，
却變成了蜃樓的影子，
像是揚起了歌喉，
却又失掉了歌唱的氣力。

　　拋棄，拋棄，
　那形式主義的空虛，
　　喚起來罷，
　強大的民族的氣息。

我們應是全民族的回聲，
洪亮的歌聲要震動禹域，
全民族的危亡的形象，
要一一在我們心中喚起；

我們的詩，要顏色濃厚，
龐大的民族生活的圖畫，
我們的詩，要聲音宏壯，
是民族的憎恨和民族的歡喜。

　　拋棄，拋棄，
　那形式主義的空虛，
　　喚起來罷，

〔67〕

火熱的民族的意志。

一切的帝國主義，退去罷！
一切的民族叛徒，退去罷！
我們的詩，要是一枝降妖劍，
有他的強烈的光芒和聲息。

一切的形式的束縛，退去罷！
我們的詩，要是浪漫的，自由的！
要是民族的樂府，大衆的歌謠；
奔放的民族熱情，自由的民族史詩。

抛棄！抛棄！
那形式主義的空虛，
喚起來罷，
敵愾的民族的現實。

一九三六，七，二八

歌唱呀，我們那裏
有血淋淋的現實！

何必到內地貪圖流亡，
東北是我們的故鄉，
現實，在那裏招呼着：
來罷，去殺敵共赴疆場！

故鄉是永遠不要同我別離，
牠要求着我們的鋼鐵的力量，
我們的心，要是一棵炸彈，
要裂炸在那個荒涼的原裏！

〔69〕

多少人是値得我們記憶，
多少荒原，多少人沒有衣食，
多少人遭屠殺，多少人孤寡，
何必專專記着母親和兄弟。

松花江上的風景是美麗的，
而，大盜的横行，并不自「九一八」始，
不要忘了母狗屯的軍閥，
不要忘了過去農村破產的悲劇。

霹靂一聲是「九一八」，
在光明中横行着敵人的鉄蹄，
但是，那只是把奴隸的鉄鏈加緊了，
老早，老早，炸彈就埋在我們的田裏。

過去是多少多少吸血的機器，
不用刀地，要把我們活活殺死。
敵人們不是天降的惡魔

是惡的社會制度，是帝國主義！

故鄉的現實，是超過了我們的想像，
朋友們是時常地給我們傳來一些消息！
要歌唱出我們的故鄉的血淋淋的形象，
不要觀念地去激刺異國情調的歡喜！

故鄉是在招呼着我們呀：
來呀，赴疆場去殺敵！
拋棄呀，電光棒，五花筒，流亡者的花槍！
唱歌呀，我們那裏有血淋淋的現實！

一九三六，九，二三

〔71〕

七月的風吹着

在滿洲，
在松林裏，
在原野裏，
在高粱地裏，
也許大衆都聽見了您死的凶耗，
在那裏，
也許大家互相在說：
在地球六分之一的地方，
偉大的高爾基死了！

七月的風吹着，
高梁的葉子動搖着，
民衆們，武裝着，
在紀念着您的名字。

在遼河的岸上，
在松花江的岸上，
在黑龍江的岸上，
在長白山，
在老爺嶺，
在一切的山林大野裏，
也許都震響着您的名字，
在那裏，
也許大家互相說：
偉大的高爾基死了，
作爲我們的哀悼的，
就是我們的鐵一般的意志。

七月的風吹着，

〔73〕

吹打着高粱的葉子，
民衆們用行動，
在紀念你的名字。

在敦化，
在甯古塔，
在五常，
在拉發
哪一條枕木
不是染着血跡，
哪一尺鉄軌
不是壓着一個死屍，
您，「意大利故事」的作者，
可是，在那裏
現實
是越過了
您的想像以上了。
在七月的風裏，
您的死的凶耗

是被他們的行動
給作了答覆了。

七月的風吹着，
高粱葉子在震響着，
由于您的死，高爾基，
民衆加強他們的意志了。

在田間，
農夫拿着鋤頭，
在作坊，
工人拿着工具，
他們是一樣地
在那裏抗敵的，
那裏沒有漢奸，
那裏沒有分化和告密，
——除非城中的那些官僚——
大家都在擁護抗敵的旗幟，
七月的風吹着，

〔75〕

滿洲的火燒着，
偉大的高爾基，
　滿洲的烽火.
也許會使您死也瞑目，
　你的偉大的死，
也就更增加了那烽火的猛勢。
　在那裏，
在松林裏，
在高粱地裏，
在原野裏，
現在也許大家互相說:
偉大的高爾基死了，
我的們哀悼，
就是我們的烽火了。

七月的風吹着
吹不透高粱的葉子，
滿洲的烽火加強了，
那就是紀念你的名字。

一九三六，七，六

你們不用打了，我不是人啦！

從故鄉來了一個朋友，告訴我這麼
一段事情，我笑了，我的淚也落了。

告訴你，他們盤問我，
他們問我是什麼人。

他們盤問我說:
「你是什麼人?」
我說:「我是中國人，」
一巴掌就打在我的臉上了!

〔77〕

他們又追問我說:
「你是什麼人?」
我說:「我是日本人!」
一巴掌又打在我的臉上了!

他們又追問我說:
「你究竟是什麼人?」
我說:「我是韓國人,」
啪地又是一巴掌打過來了!

他們狠狠追問我,
我哇地一聲哭了:
「你們不用打了,
我不是人啦!」

告訴你,他們盤問我,
我眞不曉得說:「是滿洲國人呀」!

一九三六,十,六

流亡者的悲哀

在海的那邊，山的那邊，
母親在望兒子，弟弟在望哥哥；
可是，沒有人曉得，在這個大都市中，
我一個人在拖着我的流亡者的悲哀。

「可憐的落侶雁」般地悲悽，
故園的烽火，更顯得我的空虛，
看見青年朋友，感到自己老了，
遇到躍動的生命，覺得自己是刑餘。

〔79〕

在陰悽的巷中，渡着虛僞的生活，
人生的途逕，在心中被虐殺着；
憎恨，如烈火潛在黑煤塊裏，
流亡者的悲哀，也只有流亡者掩起。

到海的那邊，到山的那邊，
流亡者的悲哀和憧憬焦集着；
我也不想母親我也記不起弟弟，
故園的屠殺和烽火，在心中交映着。

一九三六，七，廿一，晚

外國士兵之墓

沒有人給你來送一朵鮮花，
沒有人向你來把淚灑，
你遠征越過了萬里重洋，
現在你只落了一堆黃沙。

你的將軍現在也許在晚宴，
也許擁着美姬們在狂歡，
誰會憶起這異國裏的荒墓？
只有北風在同你留戀。

〔81〕

故國裏也許有你的母親，
白髮蒼蒼，在街頭行乞，
可是在猩紅的英雄夢裏，
有誰想過這樣的母親和兒子。

現在，到了北風的夜裏，
你是不是後悔曾經來殺人？
那邊呢，是雜花絢爛的世界，
你這裏，是沒人掃問的枯墳。

一九三六，十，四，于虹橋公墓

黃浦江舟中

涼風吹過了橫江，
水色映着天光，。
我對着滾滾的濁流，
覺得像在我的故鄉，
美麗的松花江上。

我想像着，在松花江上，
我的黃金的兒時；
就是半自由的時期，
在那「銅幫鐵底」的江上，

〔83〕

每天還要渡過兩次。

我憶起青年的高爾基，
飄泊在伏爾迦的船上，
我憶起青年的勒芮，
蕩舟在密西西比的流裏；
我想像着沙皇和植民者的世界。

我望着那兩岸青葱，
想起松花江邊的沃野；
而，避暑場所的那些高樓，
龐大的美孚油廠，匯山碼頭，
令我想起江沿的滿鐵公所了。

恆豐紗廠的烟囱突立着，
宛如無數的待命的槍枝，
向着我們在瞄準着。
在雲烟塵霧的層中，
像是一渦一渦的毒瓦斯。

〔84〕

伏爾迦今昔不同了，
密西西比的河原上，
怕還濺着黑奴的鮮血，
松花江上呢，誰曉得誰
幾時沒有命，沒有衣食？

松花江的原上，
現在，是殺人和放火，
到處灑着民族的鮮血，
受虐殺的，和爭自由的血，
在敵人鐵蹄下被踐踏着。

凉風吹過了橫江，
水色映着天光，
我對着那各色各樣的船旂，
遙遙地想着我的故鄉，
血染的松花江的原上。

一九三六，七，廿六，晚

〔85〕

他們的淚墜落在秋風裏

—憶鐵蹄下的那些失掉兒子的母親和失掉丈夫的妻子們—

在滿洲，在那血染的森林和原野里，
在八月的鄉村，在十月的曠野，
在冬天的雪地中，在春天的播種期間，
是有多少母親，在想着她們的兒子，
是有多少妻子，在盼着她們的丈夫，
望着被蹂躪的大地，心中流着酸淚！

九月的風吹着，她們望着荒涼的田地，

〔86〕

高粱葉枯黃了，她們尋溯着她們的枯黃的記憶．
兒子一去沒有了消息，不知是江東還是水西，
丈夫自從那天被人捉去，以後就不知是生是死，
飛機在轟炸着，機關槍在掃射着，夜中都不能入
　夢，
廐中已沒有了馬，院中已沒了鷄，倉中更沒有糧
　食。

九月的風吹着，她們憶着往年的情景，
高粱曬紅米了，豆子金黃了，往年現在是秋忙，
過了中秋佳節，大家就要準備着割地和打場，
場院壓得溜平，高粱，穀，豆，要一車車載到家
　裏，
清早要發出打場的歌聲，黃金的糧食進入倉中，
可是，現在，人也沒有了，沒有了鷄和馬，只剩了
　活的孤孀！

她們回憶着，回憶着往年的鄉村，農村的沒落，
往年的苛稅雜捐，錢法毛荒，一年比一年地窮

〔87〕

困，
可是，往年還是能種地，收割，總不像這幾年沒
有衣食，
現在，兒子，丈夫，都沒有了，眼看着地裏長高了
蒿草，
沒有了馬，沒有了鷄，沒有褲子，也顧不得廉
恥，
夜中雖偶而入夢，可是又來了機關槍聲和飛機！

歲月催着人老，憂愁催得她們白髮蒼蒼，
那些沒有丈夫的妻子，失掉了兒子的老娘！
遺腹的孫子餓死了，小兒子也凍成殘廢，
田地荒蕪了，可是，催錢粮的還是屢次來逼，
說：「看你們家里無人，好多財主，都押在封
裹。」
她們心中流不出淚來了，如同大地已不長糧食。

有時，小鼻子的飛機在轟炸着，屠殺着人民，
瞅見那鮮血迸飛，她想看見她們的丈夫和兒子

的面影，
她們想像他們也是那樣地遭屠殺，是那樣英勇
抗敵
她們感到了藉慰，可是，隨後，在心中又流出酸
淚了。
催錢粮的一次比一次來的兇，田地一天比一天
荒蕪，
如同大地被蹂躪了一樣，她們心中的淚也被踐
踏乾了！

有時，坐在井邊，望着八月的田野，
有時，待在窗前，面對着駭人的雪夜，
她們從春耕望到秋收，從臘八盼到夏至，
可是，丈夫兒子，終無消息，不知道是江東水西，
她們想着他們的英勇的死，或者是英勇地活
着，
望着被蹂躪的大地，她們的淚墜落在秋風里。

一九三六，八，十一。

〔89〕

江 村 之 夜

江 村 之 夜

（一）

白楊皎潔，青松蒼翠着，
松花江上是靜靜的。
暗夜慢慢地爬起來，
籠罩住蒼茫的大地。

從豆地里，高粱地里，
送出草虫的淒鳴。
一陣一陣的風，
令人聞到五穀的芳香。

〔91〕

遠遠一帶連山，
天空中，星光輝耀着，
夜色是朦朦朧朧的，
烘托出一鈎新月。

頓時間，在蒼茫中，
大地像蘇醒了，
田疇中，黑影蠕動着，
荒涼中，又蓬勃着生氣。

如大海中起了怒潮，
莽原中，如火在焦燒，
旂幟在屋頂林梢飄蕩着，
鄉村像是頓生了光耀。

今夜，他們是準備作夜襲，
今夜，他們是要作夜聚，
九一八之夜，黑暗的夜，

他們是要用行動紀念你。

民衆從各村莊集合起來，
情熱燃燒着大地。
白楊皎潔，青松蒼翠着，
松花江上是靜靜的。

（二）

幾條火龍般的斑點的長蛇，從四外，向那江村湊集着，
委迤蜿蜒地，奔馳着，如百川匯流在巨海。
如同北風飛騰着，捲揚起來的塞外的胡沙，
又如同熱帶的高速度的颶風蕩在鏡平的海上。
心坐懷着熱情，口是非常沈默的，腦子是非常冷靜，
疾走着，來紀念這「九一八」，那些狂波怒濤的民衆。
他們都是四鄉的農民，有的是沒落的小地主，落魄的商人。
有的，是失了丈夫的妻子，有的，是失了兒子的

〔93〕

母親 有的，是孩提。
有的，是白髮蒼蒼，人老心不老，露着活潑的童
顏。
有的，是美麗的少女，健全的青年，面上却露着
飢餓的菜色。
他們以先也許是這家跟那家有仇，也許都作過
械鬥，
也許因爲欠租打過官司，也許因借貸都出過人
命，
也許他們過去有婆媳的怨恨，妯娌的寃仇，
可是，一同在紀念「九一八」，集聚在抗敵的旂旗
之下了！
如同荒原的野火在燃燒着，他們心里熱燒着猛
烈的熱情，
他們是一心，他們是一意，他們具有鐵一般的意
志，
他們圍成一個鐵筋鋼骨的城，宛如那銅幫鐵底
的松花江，
他們那座鋼鐵一般的城牆，就集體了他們的鋼

鐵的意志，
他們的鋼鐵的意志作成了鋼鐵一般的力量！
九月的暗夜是沈重的，沈重的是他們的心里的
熱情。
他們心里是充滿着憎恨，歡喜，希望，一切敵愾
的心，
除了偶然兩聲老人的唏噓，一切都是堅強的意
志。
如同野火在燎原着，熱情燎原着在他們的心中，
在九月的夜里，狂奮着，應着九月的風。
那里有從山東來的難民，從朝鮮來的賤民，
像趕猪似地被趕來的路工，沒有工做的小手藝
匠，
都來紀念那流血的大屠殺，那個作奴隸的日子，
萬心一意地，在武裝着，憧憬着未來，在鍛鍊着
自己，
熱情沸騰着，如錢塘江的怒潮，如黑水洋的巨
浪，
在紀念着「九一八」，在九月的夜里，準備着突

〔95〕

擊。

（三）

在破板子搭成了的台上，
大家發出紀念的言辭。
鋼鐵一般的意志，
流出鋼鐵一般的話語，
成了鋼鐵的交響樂，
在那鋼鐵一般的夜里。

發言者甲，
「九一八」到現在已經五年，
我們眞是作了不少的鏖戰！
襲擊，突攻，我們是出奇制勝，
我們眞是不知攻破了多少敵人的營盤，
我們潛伏在山林中，高粱地中，
我們眞是不知刼到了多少敵人的糧食！

「這是我們個人的力量麼？

不是 是大家的共同的合力，
專靠軍隊的力量是不夠的，
是因爲民衆在互相聯合一致！

（這裏，大衆是應唱着，
或者是在心里默想着。）

「自從「九一八」那一個黑暗的夜里，
我們的頸頸上認眞加上一條鎖鏈。
飛機，大炮，向我們身上炸轟，
機關槍不知掃射了多少民衆。
生的要求使我們起了義勇軍，
都市和農村，大家同敵人相抗衡。

「這是我們個人的力量麼？
不是！是大家合力在抗敵！
專靠着兵士的力量是不夠的，
大衆聯合起來 才有最后勝利！

〔97〕

(這里大衆在唱着，
或者是在心里默想着。)

「我們使小鼻子疲于奔命，
他們成了我們的運輸司令。
送來了糧食，送來了軍器，
哈哈！使我們要抵抗到底！
看光明，我們的最後的勝利，
紀念「九一八」，今晚要去突擊！

「勝利終歸是我們的啊•
是的！我們大家合力去抗敵！
農工商學兵，來解放我們自己，
從侵略者爭取我們的最後的勝利」

(這裏，大衆是在應唱着，
或者是存心里默想着。)

發言者乙，

〔98〕

「自從那年起眞是糟糕，
家家戶戶就沒有了吃燒。
春風吹來，眼瞅着不能下種，
到了秋天，到處是滿地蓬蒿。
鋤頭呢，只好不用，掛在牆上，
大車呢，也只有劈了，作柴燒。
兒子呢，抓到縣里去沒有消息，
馬呢，通通地被他們徵發去了。
猪也給殺光了，鷄也被搶盡，
家畜呢，只剩了兩隻沒餓死的瘦貓。
這還不算，縣里還天天來催錢糧，
飛機，機關槍，還在向你射掃！
本想是誰作皇帝給誰納管，
可是，連順民也不讓你作了。
你不去造反，有什麼辦法，
老百姓，沒法子也拿起鐮刀，
鋤頭，斧子，二齒鉤，都作了武器，
要把鬼子和鬼奴剪草除苗！
這一下子眞算是有了救星，

〔99〕

我們老老少少都去放哨。
把小鼻子兵打得七零八落。
滿洲國兵，見我們望風而逃，
今夜 我們要護衛我們村莊，
今夜，我們大家要都去放哨。
我，雖是莊稼人，也巳經明白了：
只有抗日是活路一條。
今晚，那裏要過敵人的兵車，
去襲擊，刼點軍火和糧草」。

發言者丙

「提起了小鷄子，眞令我心痛，
我那個大蘆花眞會打鳴。
我那大黑母鷄一天給我生一個蛋，
我的小孫兒要吃蛋我都不給，
可是，咳！被日本子通通給我抓去了。

想起來眞苦呀，我的小孫兒活活凍死，
我的兒媳婦被日兵強姦跳到井裏，

〔100〕

我的那個兒子，誰知道他在江東或水西：
是那些黑心的鬼子，把我弄得家敗人亡了。
我要拿菜刀，去殺上幾個，雖然我已七十七。」

(所有的人都嗚咽了，
淚灑在秋日的暗夜中，
憤恨燃燒在所有人的心中，
如同烈焰在原野燃燒着！)

發言者丁

「這幾年來，眞不知我們流了多少血，
多少人失了踪，多少人被處了死刑，
東北的張學生，在城裏讀中學，
被誣說抗日，在北山上割了頸子。
好多人被捉去，關在一個房子裏，
機械一轉，連骨頭肉都不見了。

這個年月，眞是顧不得廉恥，
好多大姑娘，都穿不上褲子，

〔101〕

你們看，多少窗戶都糊不上窗戶紙，
在去冬，活活地凍死多少小孩子！
小鬼子弄得我們連地都沒法種起，
一天想吃一頓稀粥也都作不到了！」

發言者戊

「你們說我是財主我是糧戶，
可是，我反是比你們還苦。
你們不種地亦不用納糧，
可是，我不收糧還得交大租。

「前年，我兒子因欠錢糧被押起來，
受了毒刑，病死在封眼兒裏，
去年我也被捉到縣衙門裏，
義勇軍攻陷了城，算是把我救出來了。

「我隨着隊伍，到在這一邊，
我感到我的責任，是防衞我們疆土。
我們現在就是種地也不納錢糧了，

看哪個王八旦再來逼我們去封大租。」

發言者己

「雖然俺是老山東，長個南北腦瓜骨，
俺也有幾句話，要向你們說上一說。
俺去年離開了山東家，到了關東城，
家裏還有一個七十老娘，和孩子老婆。
他們說招工修鐵道，雙工錢，喫饃饃，
可是到了地方 俺可就砸了鍋！
不但不給工錢，還給你帶脚鐐子，
一天供給一頓飯，是只給兩碗粥喳！
想當年，俺東莊的王大哥，到過海參崴；
掙了好多羌帖，還帶回來一個毛子老婆；
張莊裏的李老三，也去挖金子到過漠河，
金子帶來無其數，回家開了一個大燒鍋。
俺這一次跑關東，直是可糟了糕，
家裏來信說：沒吃又沒燒，褲子當光了，
說俺不養娘，娘活活地氣死了。
以後就沒有了信，據說是小鼻子給沒收了。

〔103〕

不管是夏天大熱天，還是冬天下大雪，
東洋鬼的鉄鞭子總是在俺們頭上震嚮着，
抬着道木，抬着沙土，抬着笨重的鉄軌，
一直抬向東北，從拉發奔到大黑河，
縱令你是鉄骨頭，你也渾身發酸啊，
況且只喫一頓稀飯，俺那些伙伴死了大半了。
聽說，有一天，用火車還給壓死了好幾千，
啊，天老爺照應，幸而俺早早地跑掉了。
俺現在有家歸不得，沒有盤川，過不去關，
小鼻子是俺的仇敵，所以俺加入你們的隊伍。
俺會拆鉄道，俺知道怎樣使他們的火車掉轍，
今天，俺要紀念「九一八」，俺要拿槍去刼車。
俺明白了：只有打倒帝國主義是生路，
俺要保衞俺的疆土，俺也出去到哨所。」

發言者庚

「我是一個外國人，我的國籍是朝鮮。
我們那裏比你們這裏更是要悽慘。
我們幾千年都是給別的國作藩屬，

我們作日本的奴隸，已是三四十年。

「爲自由，爲獨立，我們曾經犧牲多少熱血，
可是，在我們的頸子上，又加緊了那條鎖鍊。
有多少人遭了屠殺，有多少人遭了焚燒，
是有多少志士，爲祖國，被關入了囚牢。

「我們那裏也有多少國賊，就如同滿洲國的那些官吏，
我們那些被豢養的走狗，是有很多來到你們這地方。
我們那裏，也是有的是失業，有的是經濟恐慌，
我那裏的農村破產，也是同你們這裏一樣。

「帝國主義在我們北鮮築港：清津，羅津，和雄基。
那爲的是向你們進攻。那裏捉了好多廉價的奴隸。
帝國主義壓搾着我們，猶如牠壓搾着你們似的
你們的鉄鏈加緊一環，我們的，也要加深了一

〔105〕

扣。

「然而，一切的壓迫，是壓不倒我 的自由的要求，
在我們的心裏是同樣地燃燒着反帝的情熱，
我們也有我們的義勇軍，在防禦我們的疆土，
爲國 防我們要提攜呀 ！我們全是被壓迫的民族！」

發言者辛

「小朋友也愛國，
要奮勇保衞疆土，
劉禿遭了慘殺，
李柱子墊了馬蹄。
爲他的伙伴復仇，
他要向前去殺敵。

「小朋友，不怕死，
要擁護民族利益。

〔106〕

儘管敵人飛機，
儘管敵人的鉄蹄，
爲他的未來福利，
他要執戈去殺敵。

「小朋友，人雖小，
他的心到有天高。
他可假扮牧童，
去探聽敵人虛實。
今晚他要去偵視，
好讓伙伴去突襲」。

大衆合唱

「我們贊成這位山東大哥，
我們贊同這位高麗弟兄，
我們贊同這位小朋友，
爲的我們的自由平等，
我們要去向敵人抗爭。
被壓迫的人羣聯合起來，

〔107〕

弱小民族要緊緊握手。
突擊，去迎接未來的光明。

「夜襲！突擊！
向敵人衝鋒！
我們的意志是鋼，
我們的意志是鉄。
我們是暴雨是狂風，
要鏟除邪惡和不正。
爲我們民族的解放，
去闖入帝國主義的老營」

「九一八，現在五週年，
我們用行動去紀念國難。
驅逐出去帝國主義，
我們才會有飽飯吃，
我們的鋼鉄的意志，
要蕩敵掃人的鉄蹄，
向敵人衝鋒，突擊，

向帝國主犫老巢中搗去」

(四)

白楊皎潔,青松蒼翠着,
松花江上,是靜靜的。
星光閃爍着,
注視着蒼茫的大地。

夜風吹蕩着,
夜色越發朦朧了,
人海消散了,
又是穀香和虫鳴。

旗幟已經不見了,
鄉村又入了暗夜;
莽原中,如猛火在燒,
他們今夜準備夜襲。

淡淡的,遠遠的連山,

天空中是一鈎新月，
如怒潮前的海面上，
現在是夜襲開始了。

一九三六，八，二十，晚

每册實價二角五分
一九三七年七月一日

出版兼發行者　樂華圖書公司

著作者　穆木天

國防詩歌叢書　流亡者之歌

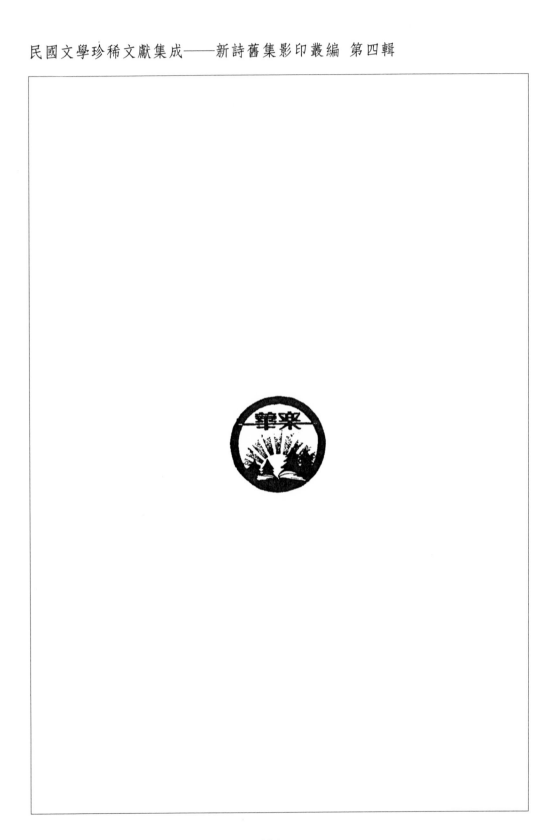

新的旅途

穆木天 著

文座出版社（重慶）一九四二年九月初版。原書三十二開。

鄭伯奇主編
新的旅途
詩集
穆木天著
文獻書社

創作叢書之一
鄭伯奇主編

新的旅途

穆木天著

文座出版社發行

創作叢書總序

鄭伯奇

去年夏天，跟一個朋友閒談，偶而談到一些文友的情況。有的已經保守沈默，有的却依舊揮着健筆；可是，大家都已留下相當的成績了。最後，話題落到了自己身上。「四十五十而無聞焉」的人有什麼好講，只剩下面紅耳赤的分兒。那個朋友却很懇切地勸慰我：

「你現在編輯着一套叢書，何不就把全副精力用在那上面呢。那也可以作為一種終身的事業啊！」

當時，我正在編輯「每月文庫」，成績還差強人意。因此，那位朋友便在那套書裏找到了一條出路，這當然是非常可感的。可是，自己却反而更加慚愧，到頭不能不老實地告白了：

「這只是一種機會。我自己絲毫不曾有過當編輯的覺悟和決心。」

但是，從此以後，關於編輯的地位和責任，自己的確考慮過幾番。我承認，對於作家，出版者和讀者。編輯是一個重要的連鎖。一個無名的寫作家更需要通過編輯的介紹

2

才可以得到出版的機會而使自己的作品和讀者相見。編輯的存在理由就在這裏，編輯的重要性也在這裏。只是中國目前以社會條件恐怕，還不能容許這樣獨立自由的編輯存在能。在文化發展較高的社會裏，編輯，尤其是文藝方面的編輯，的確可能成爲一種愉快而有效果的事業。

話又須說回來了，在編輯「每月文庫」的時候，承各方朋友的支持和出版者的了解，總算沒有感到什麼困難。最近，因爲戰局的影響，出版者還受了經濟上的意外的打擊，「每月文庫」的計劃不得不宣告中止。這正是自己藉此收場的好機會。不料文座出版社的主持人卻請我主編這部「創作叢書」。性質既然相同，一切形式方面又可踏襲「每月文庫」的原樣，自己在推辭了幾番之後，只好接受了。

記得在「每月文庫」發刊的當初，編者曾經聲明過：「我們的計劃並不大。若說這部文庫能網羅所有的優秀作品，我們可不敢這樣誇口。但是我們的態度也並不小氣。若把這小小的文庫只給自己的幾個朋友包辦，我們卻也不願意這樣做。按照文藝各部門發展的現況，我們適當地加以分配，每月刊行一二種，陸續地出下去。我們刊行戲劇詩歌小說，我們也刊行有歷史性的報告和有藝術性的通俗作品。我們希望新進的作家出

現。我們更請求成名的作家參加我們的計劃。」現在，「創作叢書」的立場和態度也正是這樣。

時序又轉到了炎夏。自己依然是當年的吳下阿蒙。那時勸慰我的朋友也許要發出一種會心的微笑罷。總之，這部叢書却必須好好地編下去。希望各方面的作家和廣大的讀者加倍地予以支持和愛護。

民國三十一年夏，於陪都西郊。

新的旅途 目次

2

全民族總動員

兄弟們，大地上已經震響起民族抗戰的號角，
現在，到了我們總動員的時候，
你們聽，敵人的軍馬在嘶，
敵人的大砲在那裏轟擊，
天空上，在翱翔着敵人的飛機，
大地上，已經灑滿了被屠殺的民衆的血跡，
現在，沒有地方讓我們去苟安逃避，
是退讓，還是抵抗，是生還是死！
兄弟們！大家要武裝起來，
我們要保衛我們的上海，
托起我們的刀槍，向強盜衝去，
我們要使黃浦江成爲敵人的血海！

兄弟們！大地上已經沸騰了全面抵抗的熱情，
現在到了我們總決戰的時候，
你們看，天津已成爲焦土，
敵人飛機正在全國轟炸，
在南口，正咆哮着敵人的大砲，
大地上，已經布滿了被屠殺的民衆的尸骸，
現在哪有時間讓我們去忍受喘氣，
現在到了時候，是要抵抗到底！
兄弟們！大家要武裝起來，
我們要固守我們的華北，
甩起我們的手溜彈，向敵人衝去，
我們要使渤海灣成爲敵人的血海。
兄弟們！大地上已經燃燒起中華民族的憤怒
現在正是我們大翻身的時候，

孫們看着隊伍們都在武裝，
農村和都市，都在磨刀槍，
在東北，義勇軍正向我們號召，
大地上，今後要完滿被壓迫的民族的咆哮，
現在，要收復東北，直搗強盜老巢，
怒吼罷中國，現在是時候已到！
兄弟們，大家要武裝起來，
我們要收復我們的東北，
開起我們的大砲向強盜轟去，
我們要使鴨綠江成為敵人的血海。

一九三六年八月十五日上海

全民族的生命展開了

——黃浦江客軍抗戰禮讚——

在那裏，
你們展開了
我們全民族的生命，
在那裏，
你們激揚起來了
我們的全民族的熱情，
我們眼望着你們，
我們的心，
要從口裏跳出來了，
飼着那雲霧中，
我們的憧憬的心
貫注着，
我們的渾身
緊張着我們的力，

我們的眼睛
是火一般地紅，
我們感到
我們的拳頭
在對着敵人揮舞，
黃濁的江水
在你們脚底下怒號着，
四萬萬五千萬人的
神經向着你們飛躍，
在碧空中
你們展開了民族抗戰的
偉大的詩篇，
在雲端上
我們的民族的英靈

（續）

展開了他的皎白的翅膀，
偉大的創造者，
偉大的民族史詩的
創造者呀！
全民族的
血與肉的交響曲！
全民族集體創作的
偉大生命的史詩！
全民族的生命展開了，
向着光明！
向着勝利！

創作選輯

東方的堡壘

風月上部

[illegible]

在我的身上
劈開了
一條罅縫。
青天中
像是打出了
一聲霹靂，
我眞不曉得，
我是發了呆楞，
還是歡喜，
今天報來得
特別地早——
莫非說是
特意來報告
這個福音。

創作叢書　8.

這個消息！
西方的
新的人類
和
東方的
覺醒了的民族，
今天是
更緊密地
握手了，
人類的和平上
又添了
一個強的屏障。
中山先生
的

列寧先生
的靈
　在天上微笑着，
帝國主義，
漢奸，
　託爾斯基，
一切的妖魔，
滾蛋罷！
現在東方已經微明，
　太陽正要出來，
我歡喜，
祖國，你有了
　抗戰的路標，
祖國，你有了

東方的堡壘！

民族敘事詩時代

上滿

歌唱罷！民族的敘事的時代到臨了，
天空和大陸中，實現了英雄的奇蹟，
民族的生命的火，現在白熱地燃燒着！
四萬萬五千萬人的怒吼已震動了大地。

為的民族的自由平等，為的祖國的獨立，
四萬萬五千萬人在哨崗上緊握着自己的武器，
血與肉，交織出來鋼鐵的抗戰的交響曲，
一月間，一年間，十年間，是死滅還是勝利！

全世界的被壓迫的民族都在熱烈地注視着我們，
「怒吼罷！中國！爲的人類的光明，爲的德謨克拉西，
現在已湧起了鋼鐵的洪流，現在是中國的暴風雨，
現在，中國是爭自由的搖籃了，爲全世界，爲的德謨克拉
西！

塞外的蒙古，對於他的祖國，是熱烈地懷戀了，
我的友邦，蘇聯，土爾其，在用血灌溉着這自由的花朵，
法蘭西，自由平等博愛的先進國，向我們高唱着馬賽曲，
保衛瑪德里！保衛上海！保衛華北！保衛德謨克拉西！

現在是民族的生命發揚到極高度的時候了！
現在是生死的關頭，是光明和黑暗的分水嶺！
民族的血在沸騰，意志是鋼鐵一般地堅毅了！

民族的行動，就是偉大的民族的英雄的史詩！

白熱的生命的火花，要燃燒成爲白熱的詩篇，
四萬萬五千萬人的，戰歌，今後要震碎了强敵！
你們要作宏亮的回聲，你們要作廣播的號筒，詩人們！
歌唱罷！現在，民族的敍事詩的時代到臨了！

十月於武昌

武漢禮讚

這里，是死一般地沉靜，
可是，這里含蓄着猛虎一般的熱情；
這里，是眞空一般地寂寞，
可是，在眞空裏，是蘊藏着白熱的烈火；
這里，在過去，雖是一片荒涼的沙漠。

可是在不久將來，却要成爲水草豐富的綠洲；
這里，在過去，雖像是破落了的王侯第宅的廢墟，
可是，在不久將來，却要充滿了新的生命的氣息。
武漢！你，民族後興的搖籃地呀！
你將是二十世紀的新的都城呀！
中華民族的生命，將在你的胸懷中展開了！
在你的天空中，民族的生命，在展開了他的翅膀，
在你的街衢中，民族戰士的進行曲使萬衆的心合而爲一了。
藝術和科學的未來的中心呀！
民族抗戰的大本營呀！
二十七年以前，你曾開過一次鮮花，
四萬萬五千萬人，都在仰慕着你。
十幾年以前，你又曾成爲民族革命的搖籃，
四萬萬五千萬人，又都在敬慕着你。

以後你受着兄弟仇視的蹂躪，
你淪為了不毛的沙漠了。
可是，現在又到了你的復興的時候。
在那江漢之濱，
在那羣山擁抱之中，
我看見了你，
在那如原始一般的大自然中，
我看見了你，
如醉醺的獅子一般地睡眠着。
我像是發現了一塊處女地。
在你的裏邊，像有無限的新生的力量。
最後來的，也許會在最前的：
武漢這也許就是你的未來的運命。
在你的黑夜中，我看見了黎明，

東方的微明，已經破曉了！

武漢，我祝福你，
我祝福在你的里邊將湧出了民族的新生，
我祝福你對成爲鉄流的源地，

我祝福你，武漢，
你要成爲東方的非冷翠，
你要成爲東方的巴黎，
你要成爲東方的莫斯科，

我祝福你，武漢，
你，二十七年的德謨克拉西的搖籃，
你將要成爲新的中國的中心，
家的德謨克拉西的鉄工廠。

十一月三十三日夜八時武昌，

今天我眞是歡喜得若狂

今天，
我眞是歡喜得若狂，
因爲，在二十年前的今天，
在西方，
出現了新的太陽，
我恨不能在大街上飛跑，
高舉着青天白日滿地紅的旗幟，
在光天化日之中，
隨風飄颺。

在二十年前的今天，
你，新的自由的人類的圖案。

你為全世界被壓迫的民族的解放建立了根基，
你用你的血和肉，
你用你的怒吼，
轟殺了那摧殘人類的惡魔，
——帝國主義！

這二十年以來，
我們看見你
一天一天地在生長，
我們看見你的光度
一天一天地在加強，——
第一個五年計劃，
第二個五年計劃，
廣大的農業和工業的建設，

第涅布羅水電站，
集體農莊，
而且，你建立了你的強有力的國防，
給全世界的被壓迫的民族，
築成了一道鋼鐵的萬里的掩護。

在二十年前的今日，
你打破了一切羈絆人類的鐐銬，
你已不是把我們數萬民衆趕到黑龍江裏的沙皇俄羅斯，
你成爲了全世界上第一個以平等待我的民族了。
你的熱誠，
促進了
孫中山先生
和

列寧先生
　的緊密的握手。
是在你的翼護下，
中華民族高舉起來了
他的奴隸解放的怒吼！

十年來
天空里，曾有過不少的雲翳。
十年來，
在東亞大陸上也曾洒了很多的兄弟殘殺的血跡。
可是，現在，在帝國主義的炮火之下。
中華民族更深切地覺醒了。
兄弟們握着手，流淚了。
　黃浦江上的怒潮，

塞外晉北的軍號，
告訴全世界說：
中華民族復興的日子到了！
我歡喜，
我的流亡者的旅途已經快有了終結，
我歡喜，
我們又可以鼓起來了我們那受了傷又痊愈了的雙翼。
全國中，
四萬萬五千萬人現在眞是歡喜得若瘋若狂，
在東北
那些被壓迫的同胞，
現在，在那里歡祝着全面抗戰的勝利。
我切望着，

在明年今日，
在關東原野的冰天雪地中，
我們要同着
俄羅斯人，
朝鮮人，
蒙古人，
以及那些望睹着光明的松花江下流的弱小民族，
連那些反對侵略的日本的革命大衆，
熱烈地握手，
向着
孫中山先生
和
列寧先生
的遺像，

同那三千五百萬人在一道，
致我們的最誠摯的敬禮。

十一月七日。

我們要作眞實的詩歌記錄者

誰是詩人？
是你？
是我？
誰都不是！
民族的戰鬥的行動
　是一部偉大的詩篇
我們只是
　一個詩歌的紀錄者。

你們！
中州的詩歌紀錄者們！
你們！
嶺南的詩歌記錄者們！
你們！
武漢的詩歌記錄者們！
你們！
齊魯的詩歌記錄者們！
拿起你們的樸素的筆，
把民族的偉大的詩篇，
記錄下來罷！

在黃河北岸，
吹響著戰鬥的號角！

創作叢書　24

在淞江口，
吹動了抗戰的軍號！
黃浦江上，
在捲着怒潮，
關東原野
正在咆哮！
中華民族——
偉大的詩人，
巨人般地，
站起來了。

「起來！
不願作奴隸的人們……」
你們聽！

全民族在怒號！
　你們聽！
全民族在吼叫！
誰是詩人呢？
不是我！
也不是你！
民族的戰鬥的詩篇，
　是一部偉大的詩篇，
我們是只作一個
眞實的詩歌記錄者呀！

十一月[illegible]

贈高蘭

啊！高蘭！

你從冰天雪地中生長出來的詩人！
在我的悠長的旅途中，
你的健壯的詩歌，
使我得到了最初的歡喜。
「八，一三」的砲火，是把中國的詩歌變質了！
新的時代
新的現實，
新的歌聲，
新的生命力，
是光明的，
揭開了一幕的雲翳！
在你的青春的詩裏，
我感到了——
一種荒莽的勇氣。

一種純樸的大地的土的氣息，
我感到了——
「八，一三」的詩歌，
已經有了牠的齊全的萌芽，
詩歌的大時代，
已經在開始！
你的詩使我感到了北國的士獷，
可是，高蘭，我還不知道，——
你是從那荒莽的冰天雪地中出來的，
你的家，
同我的家一樣，
是在那鐵蹄下邊的雪原裏！
啊！高蘭！
從上海流亡到武漢，

創作叢書

這兩個多月裏邊，
我真不知道感到多少歡喜！
同時，我也流了多少眼淚！
（雖然，有時，眼淚只是流在心里！）
我感到——
六年間的磨煉，使我們強健起來了！
好多好多的青年朋友，
強健全得同鋼鐵一樣了！
從筧橋，
我們的飛機士，
給我們作過了沈痛的報告！（注）
那使我流了好幾次的淚！
從北方，
好多的意想不到的朋友，

使我知道他們在堅苦地戰鬥！
那也使我流出眼淚來了！
六年間的血的洗禮，
把棉花般的孩子們都變成鋼鐵了！
高爾！我們是從血泊中生長了起來！
在我們所不知道的朋友中，
會有多少多少的人，
達到了我們想像不到的健全法！
那值得我們歡喜！
那值得我們流淚！
那更是值得我們的筆記錄出來，
用我們的謳歌歌出來！
高爾！你從冰天雪地中生長出來的詩人啊！
在那冰天雪地中，

在這六年間，
眞不知有多少民族戰士，
用他們的血與肉，
交織出來
偉大的民族革命的詩篇！
你用你的健全的話語，
把那些英雄的敍事詩記錄下來罷！
高蘭！你莽原裏產生出來的詩人呀！
大地的吼聲，
現在是正待我們記錄的時候了！
「八，一三」吹起全面抗戰的號角，
多少的英勇戰士爲國犧牲了！
只有爭取到祖國的抗戰的勝利，
東北的三千五百萬的民衆

才能達到解放！
高蘭！爲民族革命高揚起你的歌喉罷！
在詩歌中激發起民族的偉大的感情罷！
我們！要在這個大時代中，
作一個洪亮的回聲，
作一個清朗的喇叭手，
民族的生命已燃燒到白熱，
高蘭！把民族的白熱的生命力下
用你的詩歌，記錄下來罷！
我們要作偉大的民族敍事詩的
渺小的記錄者。
高蘭，歌唱罷！
現在是詩歌征服的時代了！

（注）「在筧橋」，是一篇[illegible]飛行士所作的報告文學，刊大公報「戰線」。

四月二十九號下午

萬里無雲，
正午的高空中，
是一顆炎熱的太陽！
碧空，
是說不出怎樣地明朗！
好像元在盛夏里一樣！
　　又有熱，
　　又有光！
午睡里，
　　我醒了過來，
驟然間，
　　起了警報的聲響！

我沒有驚慌！
也許因爲今天我是特別地健康！
我理了理我的書棹，
我一邊在心裏想：
——花子打鷄，又來菜了！
今天管保同「一二八」一樣！
我心裏是非常地歡喜，
　　又有熱，
　又有光，
同那外邊的萬里無雲的晴空一樣！

有人問我：怕不怕？
我說：怕的是什麼！

喝涼水有時也會噎死！
炸彈落在頭上，也不一定會炸！
我默然着——
今天又會打下他十九架！
我默想着——
今天也許會有更殘酷的轟炸！
第二次警報來了，
敵機在頭上震響了，
我也就同別人走到樓下。

在樓下的防空洞裏，
已擠滿了人！
各各人呆呆地望着。
一點都沒有聲音。

我站在那門口，
時而向外望着天空，
時而向里邊望着那些人的面孔。
嗡！嗡！嗡！嗡！
敵機在天空飛翔着！
嘣————————
炸彈在丟着！
嘣————————
又是一個！
嘣——嘣——嘣！
「這一次，炸的不輕呀！」S說。
嘣——嘣——嘣
房子，震動了！
嘣——嘣——嘣

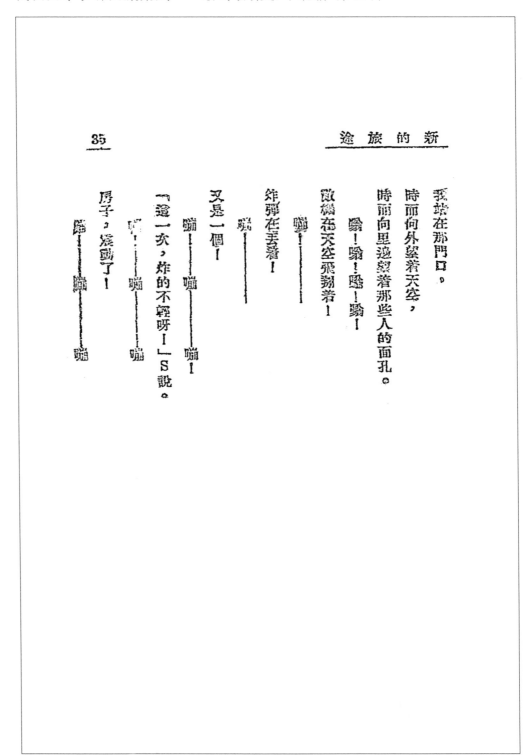

壁牆如紙糊的東西一般地動着。
嘣！——嘣——嘣
玻璃嘶嘶地震響着。
像是天翻地覆了！
在防空洞里，
一點聲息都沒有，
如同是死了一般！
每個人的心裏是想着什麼？
是死還是勝利呢？
嘭！…………
高射砲響了！
啪！……
機關槍響了！
在那興的天空上，

民族的戰士，
對於人類的敵人，
展開了，
無情的
英勇的
戰鬥了！
噠！……噠！……噠！……
機關槍不住地響着，
一分鐘
兩分鐘，
三分鐘，
一刻鐘，
兩刻鐘
三刻鐘，

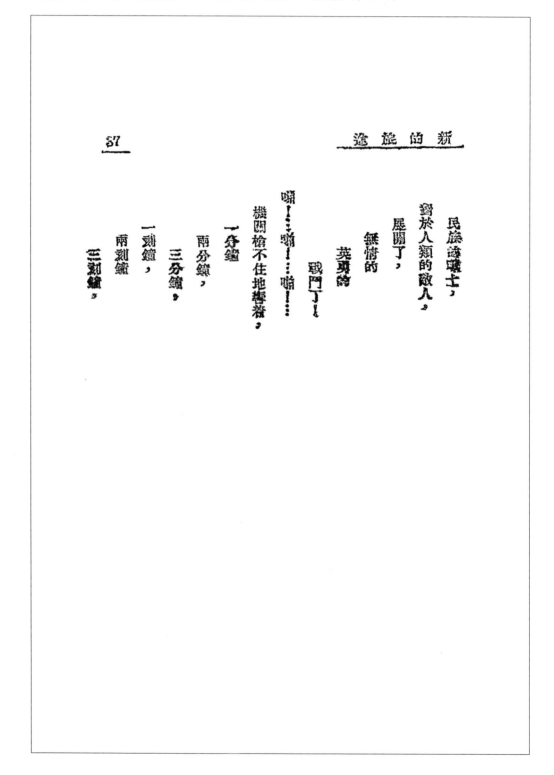

一直到長久的時間！
同天空中的戰鬥相呼應着，
地上，人們的心裏，
歡喜，在跳躍着：
——狗日的，出不去了！
警保又打下他幾十架子！

警報解除了。
大家又安靜地回到自己的房裏。
興奮地談起來了。
隔壁的小朋友從學校里回來了，
向我說：
——伯伯，我在學校，
看見了打掉的飛機落下來了！」

「這一次不知炸到哪里了？」我說。
——瀋陽也打下了一架飛機！」
M小姐走進來說着。
晚上，
滿街上，
傳遍了勝利的消息！
擊落敵機二十一架！
是「二一八」以上的大勝利！
過了兩天，
報紙上載着說：
又發現到敵機殘骸五具！
鬼子飛機，以後就好久沒有來了！
狗日的，來是好來，

回去可不好回去！

獻給朝鮮的戰友們

朝鮮的戰友們！
在保衛祖國的陣線上。
在被壓迫的民族的
　解放的陣線上，
我們要緊地握起手來！
我們握着手，
　是會要流起淚來的；
但是，那不是悲傷的，
　那是歡喜的眼淚！
們歡喜得流着淚。
我們流着淚歡喜着。

——因爲我們的歸旅的日子，
　一天一天地臨近了！

我的家和你們的家
　只隔着一道水，
　那白浪滾滾的鴨綠江。
我的家和你們的家，
　只隔着一道山，
　那高高的哈爾巴嶺。
在那一邊，
　散佈着你們的城鎮和村落，
在這一邊，
　橫亘着我們的山林和原野。

六年來的流亡生活，
使我越發地懷戀我的家鄉，
六年來的流亡生活，
也使我越法地發懷戀你們的家鄉。
現在。
在鴨綠江的兩邊，
在哈爾巴嶺的兩邊，
到處，
已經起了民族革命的烽火！
朝鮮的大衆
和
「滿洲」的大衆，
在血泊中，
淘著同一的[illegible]，

戰鬥起來了！

六年來的流亡，
把我們鍛成爲鋼鐵了！
可是，你們是比我們還要堅強！
沒有祖國的朋友們！
你們是從血泊中健全地
生長起來的！

沒有祖國的
和
沒有家鄉的
人們，
今後，
要更堅強起來！

今後，
要更健全起來！
向着我們的同一的目標，
要更有力地
戰鬥下去！
在鴨綠江的兩邊，
在哈爾巴嶺的兩邊，
猛烈的烽火，
燃燒到一起了！
那裏的弟兄們
給我作了好的榜樣。
我們學習着他們，
在民族解放的大旗的下邊，

攜着手，前進！

五月十八日

悼高爾基

你——
勞苦大衆的
普羅梅修斯

你——
新的世界的
盜火着
高爾基

你的
流浪的足跡
踏遍了俄羅斯

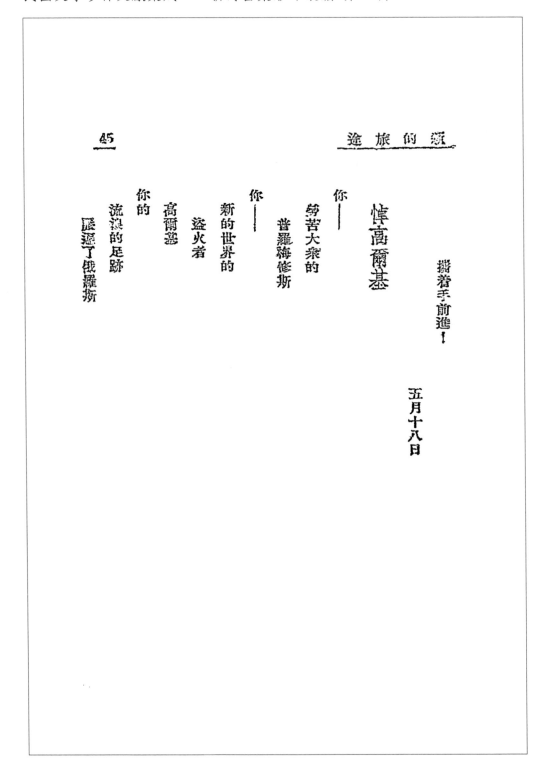

你的
流浪的足跡
歷遍了全世界
到處
你用戰鬥
武裝了勞苦大衆
伏爾迦河上
永遠留着
你的偉大的記憶
你喜歡哭
在你的哭里
是舊世界的慘苦
你喜歡笑
在你的笑裏

是新世界的歡喜
你用戰鬥
武裝了我們每個人的心靈
每個人
都在戰鬥中
紀念着你
可是
在今日的
反破壞集團的鬥爭中
你的戰鬥力
已被國際間諜們
給剝奪了。
然而
你的光

永遠照耀着我們
爭的人類的解放
我們要爲你復仇
我們要在
你的偉大的光輝中
堅強着
我們的戰鬥。

初踏進了牧歌的天地

尹武昌

在這荒莽的原始的天地中，
燃起了新的火焰。
無數的高峯，
無數的崗巒，

無數的瘴雨和蠻烟，
從老街到河口，
從河口到開遠，
從開遠又到了昆明的高原。
眞是過了一山又是一山。
在那高山中，
有廣闊的平原，
在那些高原裏邊，
散佈着肥美的農田。
到處是牧歌情調，
散布在田野和山間。
空氣中是牧歌，
田野中是牧歌，
山谷間是牧歌，

湖水里是牧歌，
牧歌的情調，
是充滿了還原始的莽原。
雲南——我的憧憬的國土！
我在夢裏曾經憧憬着你！
從艾蕪的小說中，
我曾經看你的光與熱，
我曾經見你的山中的牧歌，
從聶耳的歌聲中，
從仲平的詩中，
我曾經看見你的奔放的熱情，
你的古希臘一般的狂熱的歌舞。
可是，那一種憧憬的世界，
今天，在我的眼前實現了。

經過了「貧瘠的國土」——安南。
　我又重踏上祖國的土地。
我的心，
　是如何地歡喜呀！
從那個阿麗思的奇境中，
渡過了那一條小小的河，
從那一條木橋上，
　又踏上祖國的土地，
在我的心裏，
　並沒有從夢中初醒的幻滅！
在我的心裏，
　有新的興奮，
　有新的慾求，
　有新的光。

一切的夢成爲了眞的了！
　憧憬成爲了現實！
山中充滿了牧歌調，
　而且充滿了新的氣息，
在火車中，
　有兩個商人，
高談着我們的友邦——蘇聯。
　那是多麼令人興奮呀！
在這個原始的處女地中，
使我看見了
　新的火焰
　　在生長着，
在這個原始的處女地中，
使我看見了

新的戰歌
　和原始的牧歌
　　融合在一起了。
一切的夢，
　成爲了現實！
雲南——這個原生的處女地！
　你有偉大的旋律！
一條蜿蜒的紅色的河。
　貫在萬山中間，
作成了一條有力的動脈。
從萬山中
　到了你的廣闊的平原中，
你的律動，
　是越發地曼，

越發地有力。
我好像是到了中原，
到了我的故鄉——山海關外。
你更使我想像着
那茫茫的西北利亞。
可是，這裏並不是那一片雪原，
這裏是南國的廣闊的天地！
而且，在這南國的廣闊的天地中，
原始的牧歌調，
和新的戰歌，
還溶在一起。
而且，要永遠結合在一起！
這裏是原始的處女地，
這裏是新中國的搖籃！

讓我就是中華民族的
　抗戰建國的一個堅固的後方鐵壘！
雲南——在你的牧歌的世界中。
　我看見我們抗戰建國的鐵工廠！
在你的火爐裏邊！
　我看見我們爭自由解放的火焰，
　　一天一天地
　　　擴大起來了！
在你的猛烈的火焰中，
　我希到新中國的光明。
我要同多少的民族的戰士，
　在你的鐵工廠中
　　共同實踐我們的新中國的創造。

七年的流亡

七年的流亡
使我走遍了
祖國的海岸綫！
七年的流亡
使我從這一個邊疆、
走到那一個邊疆！
使我從這一個蠻荒，
走到那一個蠻荒！
七年的流亡
使我深受了
祖國的命運的淒涼！
七年的流亡，

在荒涼的祖國裏，
現在，
已經燃燒起來了
民族解放鬥爭的
燦爛的火光！

故鄉，
現在，
在你的大野裏，
那蒼莽的野草，
已經快要枯黃。
在那凝了霜的白露裏，
若是在往些年呀，
農夫們已經在

歡喜地歌唱着，
那已經成熟了的
穀子，豆子和高粱。
現在呀！現在呀！
已經完全是兩樣！
現在呀！
那裏已經是一片血腥的屠場！
可是，在那裏，
七年前，放出了
民族解放的新的光芒！
那裏呀，
成了全民族的榜樣，
那裏的那一點星火，
已經成爲了烈焰，

繞過了亞細亞的東方！

七年的流亡，
使我像一個吉卜西人一樣，
像一個無國的猶太人一樣，
從祖國的東北角，
流浪到西南角！
從這一個邊疆
到了那一個邊疆！
從這一個蠻荒
到了那一個蠻荒！
可是，在這裏，
同我的故鄉一樣，
這裏有肥美的良田，

60

[illegible]

這裏有殘[illegible]，
這裏像故鄉一樣苍莽，
這裏也像故鄉一樣荒凉，
這裏的人，
　也是同故鄉的人一樣！
在這邁里的雲南，
我見到了我的第二故鄉！
可是，這裏
　也像我的故鄉一樣，
一點一點的星火，
　也要燃成為巨大的光芒！
故鄉，
現在已經放亮了！

在白露瀰漫的早晨，
母親也許還在倚着門盼着兒子，
一邊在聽着大樹上烏鴉的叫喊；
也許夜里聽着蟋蟀的聲音，
母親一邊心裏流着淚，
回憶着往事，
可是，母親也許早已不在了！
家裏的窗戶，
也許在前幾年前，
　早就沒有窗戶紙！
房子土地，聽說是：
　早就被沒收了，
以後，就沒有故鄉的消息！
　該沒落的，

也許早就沒落了！

六七年來，
故鄉背過了全民族的十字架，
故鄉傳出來民族解放的新的福音
故鄉戰鬥起來了，
故鄉統一起來了，
故鄉成了全民族的偉大的教訓！
故鄉的號角，
已經成了全民族總動員的「馬賽曲」；
故鄉的烽火
現在已燃遍了中華的大地！

七年的流亡，
使我從流亡者的悲哀，

轉成了一個遙火着的歡喜。
如同游吟詩人一樣，
　我在祖國的腹心裏流浪着，
我的心，
　好比一個托鉢僧，
在苦難中，
　感到了無限的歡喜！
祖國的民族解放鬥爭的火光，
　燦爛地在全國中怒放了！
從這一個邊疆
流浪到那一個邊疆，
從這一個蠻荒
流浪到那一個蠻荒，
我的歡喜，

永遠一天一天地在生長！
這裏，滿萬里的雲南，
　也要同我的家鄉一樣，
星火也要放出巨大的光芒！
　後來的也許在前罷！
這裏的火花，也許更要紅亮！
　在這裏，
新的戰士不斷地生長起來了！
在民族解放的不斷的戰鬥中，
他們更要不斷的生長！
故鄉！
七年間，
你的火燄燒遍了全國了！

七年間！
你的教訓，
造成了全民族的鐵的力量！
在這個邊疆裏，
在這個蠻荒里，
大衆也武裝起來了！
故鄉！我祝福你！
現在，
在祖國的大地裏邊，
到處，
已燃燒起來了
新世紀的
燦爛的火花！

九月二日晨朝

昆明！美麗的山城！

昆明！
美麗的山城！
在羣山拱抱中，
你顯露出來
你的雄大的姿容！
在擁擠起伏的山丘上，
矗立著
你的偉大的雄姿。
在你的腹心裏，
起伏著
錯綜的湖沼和山岑；
有那高聳的宮牆，

和那蒼翠的圍遶，
在那神祕的翠湖的上邊，
砥礪着那寂靜的螺峯！
在你的周圍，
是環繞着
巨大的潮水，
和無數的崇山峻嶺：
碧鷄峯對着金馬峯，
在滇池的蒼茫湖的水裏，
映着西山的俊麗的陰影。
在你的周圍，
是連綿不斷地重疊着
無數的湖泊，沼澤，山嶽和邱陵。
在叢山中，

顯露着
你的偉大的雄姿。
昆明！
美麗的山城！

昆明！
美麗的山城！
在廣大的原野裏，
傲着立
你的雄大的姿容。
在你的無邊的田疇裏，
九月的風，
吹着油碧的稻浪，
在綠天鵝絨的原野裏，

狹窄的石頭的路程上，
這裏，那裏，
震響着騾馬的銅鈴。
在你的高朗的天空上，
翱翔着
我們的龐大的銀翼的鐵鷹。
在鐵鷹的翼膀上，
反映着燦爛的天光，
在鐵鷹的翼膀下邊，
歌唱着祖國的黎明。
在你的原野裏，
一根草，
一棵樹，
都升戰起了無限的儲備，

一樣風，
一滴露，
都令我想[illegible]到祖國的偉大的姿容。
在群山中，
你象徵着祖國的遼闊廣大！
昆明！
美麗的山城！
昆明！
美麗的山城！
在這西南的邊疆上，
傲立着
你的偉大的姿容。

你好像一個鐵的堡壘。
你有你的四通八達的馬路，
從西南邊疆直通到祖國的心臟。
你如一個巨人似的，
傲然的，立在
羣山中的大平原裏，
用你的鋼鐵手，
執着鐵的武器，
守着你的鋼鐵的崗位。
你屹立在這蒼莽的原野里，
如同祖國的一個心臟，
你的那些長的大的馬路，
如同祖國的幾條大動脈，
把新鮮的血液輸送到祖國的周身。

你爲祖國準備了新的煤，
　新的鐵，
你爲祖國準備了新的火，
　新的動力，
　新的食糧，
在你的新的脈動裏，
讓看見祖國的一切的新生的動力。
在翠山拱抱中，
在廣大的原野中，
你巍然地屹立着，
如同是一個銅鐵的巨人
在固守着銅鐵的崗位。
你令我想像祖國的銅鐵的洪流，
　祖國的銅鐵的新生。

你令我想到到祖國的一切的鋼鐵的偉大。
在這個西南的邊疆土，
如同一個新的長城似地，
你傲然的屹立着，
你好像是一個新中國的象徵。
昆明！
美麗的山城！

昆明！
美麗的山城！
在羣山的拱抱中，
在廣大的原野裏，
你顯現出來
你的雄大的姿態。

在二月裏，
你受着塞外的沙風。
在黃昏裏，
你是烟霧冒重。
從東南西北，
你有七個古老的門洞。
在暮烟罩籠着西山的時節，
我想像着你的歷姿，
當明月照在翠湖的林梢的時節，
我想像着你的朦朧的夢境。
在白晝，在黃昏，在夜里，
在一切的時節，
你都令我想像着是我們的故都北京。
天開雲瑞的牌坊，近日樓，

令我永遠以爲是前門洞，
西山就像是北京的西山，
你的城裏城外，就像北京的內城外城。
你的酒館，你的道路，你的胡同，
都令我想起是在我們舊都的故城。
昆明！
美麗的山城！
你蒼老地頹立在大平原的中央，
是時時地引起我的故國的憧憬！
雖然這裏沒有沙漠的駱駝，
可是，這裏有故都一樣的荒涼和寂寞。
尤其是，當街道裏吹起了黃沙，
尤其是，當破瓦房裏漏了雨，
尤其是，當浩月照耀在西山的嶺頭，

尤其是，當鬼子的鋼鐵翅膀撒了兩隅。

可是，

昆明！

美麗的山城！

如同古老的舊都一樣，

你也怒吼起來了！

你的雄壯而頹廢的

　有着的雄姿，

是象徵着舊中國的頹廢

也是象徵着新中國的更生。

如沙漠裏的故都一樣，

昆明也戰鬥起來了！

昆明！

民國！
美麗的山城！
在羣山的拱抱中，
在廣大的原野的中央，
你顯露出來
你的雄大的姿容。
如同一個巨人似地，
你站了起來，
如同一個巨人似的，
你戰鬥起來了，
在這個西南的邊疆上，
在這個高山中間，
我們看見你的雄姿和[illegible]了！

你象徵着我們的新生的中國，
你一天一天扯脫掉了你的灰黃的外表，
你武裝起來了！
我看見，
在你的街頭上，
震盪着敬亡的歌曲，
在你的每個戰士的心裏，
燃燒着新的動力！
在你的各個角落上，
新生的爐火都在開始燃燒着。
在你的腹心里，
在鍛鍊着一切的鋼鐵的戰士。
在這裏人的力量征服了大自然，
十幾萬的開路先鋒，

在幾個月的工夫，
修築了千里的公路，
在蠻烟瘴雨的萬山中，
用血汗寫成了偉大的詩篇。
這裏鐵鷹在天空上高傲地翱翔着，
他們的巨大的聲響，
象徵祖國的一切的新生的力量。
這裏是中國後方的一個鐵工廠，
這裏是中國後方的一個發電廠！
從這裏來準備一切，
在這裏要發出一切的偉大的力量！
在寬廣的大路中，
望着那油油的田疇，
我心裏歌頌着，

我心裏憧憬着、
我想着祖國的現在和過去。
我驕傲着
在高山拱抱中
在廣大的原野中，
傲立着的
這座蒼老的古城的雄姿。
一邊欣喜着祖國的黎明，
一邊我在祝福着
這個抗戰建國的後方的聖地！
遙望着遙遠的起伏的山巒，
聆聽着時時在震響着的驛馬的銅鈴，
在寬大的道路上，
我不斷憧憬着：

昆明！
綺麗的山城！

二八，九，二七，昆明。

秋風裏的悲憤

現在，
在秋風中，
你的坟頭，
也許只剩了一圈衰草，
現在——
已經沒有人
敢到你的坟頭，
去憑弔，
現在，

說不定，
強盜已經把你的墳剷平；
現在，
也許那兩年半以前的枯萎的花枝，
腐爛在泥土中，
任憑着秋雨
在淋澆。
在敵人的鐵蹄的包圍中，
魯迅老人！
你是不是還怨呢？
你是不是苦悶呢？
不！
魯迅老人！

雖然現在離你有萬里，
我總是想像着：
你在那裏燃燒着。
你的忿怒的火，
在那裏，
猛烈的，
燃燒！

在那個
成爲舊中國的象徵的
墳地中，
魯迅老人，
你孤獨地躺着，
我今[illegible]孤寂地

在淚裏徘徊地憑弔着，
[illegible]着：
你孤寂，
你忿怒！
可是，
現在，
在敵人的鐵蹄的踐踏當中，
魯迅老人！
你是怎麼樣了呢？
你已經沒有孤獨，
只有忿怒了！
雖然現在離你有萬里之遙，
我總是想像想着。
你在[illegible]你頭，

發着！
你的憤怒的火，
一天比一天猛烈地
在燃燒！

魯迅老人！
我想像到你
總是，們的新生的祖國！
魯迅老人！
你確是我們新中國的象徵！
如同我們的祖國一樣，
你以苦難中生長出來，
你過了苦難的一生！
可是

更不幸地，
在祖國的黎明的前夜，
你竟離開我們而長逝了！
而且，對於我們，
那是一個驚人的意外！
在我們最後的會見中，
你拿着新出的「海上述林」，
歡喜地給我們看。
我記得，在那時，
有伯奇，
好像還有鹿地。
你告訴我們說：
健康恢復了。
我問你，什麼病？

你說：是二十年的肺結核。
我驚訝：你爲什麼不告訴人！
你說：只有掙扎，
　說又有什麼用！
可是，不到半個月，
你的兇耗就傳來了。
雖然我在病中，
沒有能參加你的葬列，
可是，我在你的墳頭，
很悽涼地
眞不知徘徊了多少次！
可是，在過去，
我曾想像過你的孤獨，
而，現在

我却是只想像着你的忿怒！

如同一粒麥種死在地下，
生出了無數的麥穗，
如同一顆炸彈，
爆裂成爲無數的碎片，
魯迅老人！
你的墨寶，
已經普遍了全中國了，
在你的撫育下，
全中國，
生出來無數的民族革命戰士！
隨着祖國的大時代的開展，
一天一天地，

在生長
在倔強！
魯迅老人！
隨着你的忿怒的火
一天一天地
猛烈地
在燃燒
你的歡喜的洪笑
也是一天一天地
猛烈地
在生長！
在游擊隊的攻擊戰中，
在民族革命的戰鬥中，

在文化隊伍的戰鬥羣中，
魯迅老人，
我想像，
你的英靈，
該是如何的興奮呀！
可是，偉大的興奮的日子
還在後頭！
魯迅不死！
魯迅與我們同在！
在這個日子裏，
全國中，
是說不出的悲傷！
在這個日子里，
全國中，

在魯迅的殺罰之下，
忍話不出的狂癲！
等到把強盜打到鴨綠江外的日子，
我們要到那荒涼的墳前，
致民族革命的最敬禮！

現在，
在那荒涼的墳頭，
我想像着：
你在兇猛地忿怒着，
你要用你的忿怒的火
把我們的敵人
一個一個地
燒死！

三九・九・二二。昆明・宣渡。

贈朝鮮戰友李斗山先生

在暴風雨中，
我聽見了你的琴音激揚，
在黎明中，
我聽見過你引吭高唱，
你懷着一顆火熱的心，
你堅定着爭取光明的意念，
朋友，
我好像看見，
鴨綠江水在你心中動蕩！
爲東方民族的自由解放，
你在戰鬥着！

朋友。
我看見了你的姿容，
使我想到了我的冰天雪地的故鄉：
我們的家鄉是只隔着一道冰呀，
如同現在我們只隔一道板牆。
大地是可愛的，
我愛我們的山林和原野，
都是何等可愛的土地呀。
同時我也想到
強盜用同一條鐵鍊拴生了我們，
同時我也想到
在我們的故鄉里，我們的戰友們，
以一種殘的響的，
在同一個戰線上艱苦的戰鬥。

在哈爾巴嶺上，
在松花江流域，
在鴨綠江邊上，
在故鄉的四處，
朝鮮和東北的戰友們，
是共同的演出了很多的奇蹟！
在白雪上洒着無數的戰友的鮮血，
朋友，那血的偉大的！

朋友，
你的歌聲，在暴雨的夜里，
使我想像到在熱帶阿美利加的那個燈台守！
可是我們祖國不是波蘭呀！

我們也不是爲別人守着燈塔哪！
我們在爲光明戰鬥着！
我們的燈塔是我們的！
那是東方民族解放的偉大的燈塔！
那是人類解放的燈塔呀！
我們的探照燈照耀着我們的戰鬥的路，
我們是探照燈，是也要照破敵人的陰謀！
我們是一時都不敢懈怠呀！
東方各民族聯合在一起，
共同守衛着我們的燈塔呀！
我們的燈塔是偉大的！

朋友，
情䜂中，

也看見你的無言的散步，
我像是看見了你的心中的苦悶和狂熱，
我知道你的心中的風暴，
我也無言地想起我們的故鄉，
那裏的雪地上的血跡，
我也是在風暴中見到新的光明。
守衛着我們的燈塔罷！
東方民族解放的燈塔，
是要我們守衛的！

朋友，
我們要緊緊地握着手戰鬥呀！
在我們的崗位上，

無言地或者是高歌地，
是要互熱烈地握手的！

十二月二十七日於施家園

給小母親

離開了丈夫，
離開了孩子，
離開了你的「家」，
你可曾想過沒有：
娜拉走後怎樣？

熱帶的風光是美麗的，
有棕櫚，
有椰子，

有碧綠的海水，
永久是夏天，永久是綠。
在[illegible]滿的夕陽落下時，
兩個無知的孩子，
在歡歌地游戲着，
在綠草地上，
也許無言地在心里哭泣，
也許他們都不知道了，
有一個年青的母親，
在海的這一邊，
為他們在黑夜里流淚！

如同所有的母親一樣，
你是在苦難中生活着的。

現在祖國的母親都在苦難中，
有的失掉了丈夫，
有的失掉了兒子，
有的望着殘廢的子女成了瘋狂！
一切的母親在苦難中，
苦難——
就是中國的母親的形相！

清晨早，
望着西南的天邊
你低吟着……
你想像着什麼呢？
是不是在海的那一邊也有炸彈聲，
在雲彩的那一邊也有血跡？

強盜的魔燄向南燃燒着，
那兩個無知的孩子，
也許將來甚至都不會說祖國的話語！

清晨早，
露着山野的青草，
你在想着什麼呢？
是想着爲祖國的母親的解放而戰鬥麼？
是想着爲兒女的解放而戰鬥麼？
你低吟着，
是不是你看見了那兩個無知的孩子
在火紅的花叢中向着你微笑？
悲哀在你的心裏，
就如同微笑浮露在你的臉上！

那就是一顆苦難的母親的心！
你用苦業鞭打着自己，
你更艱苦地為母親的解放而戰鬥罷！
只有民族解放母親才能解放的！
現在你是曉得了：
新中國的娜拉走出後應當怎樣！

月夜渡湘江

今夜我渡過了這琥珀色的湘江，
遠望去是一片蒼茫，
在霧影里團動着往來的小舟，
在空氣中浮蕩着矇矓的月光，

月光照耀在水面上，
月光也照耀遠近的田野和山崗，
牠照耀着縣鎮的農村和都市，
牠也照耀着遙遠的我的故鄉。

在故鄉是血和肉的搏鬥呀，
多少地方都變成了修羅場，
正如同這湘江岸上的古舊的城池，
變成了血肉交織的瓦礫場一樣。

在瓦礫與江水流轉着，
好像是一滴血一滴淚在動蕩，
祖國的過去和未來，
也一滴血一滴淚流動在我的心上。

在我的心裏是充滿着各種的回憶呀，
如同古老的傳說充滿着這古老的湘江。
湘江的水今天是陰鬱而美麗的，
月色朦朧中使我感到無限的興奮和惆悵。

隨着江水我的心奔馳着，
我看見無數的苦難的田野和村莊，
從長白山一直到大庾嶺上，
我好像聽見血腥的風在飄揚。

隨着江水我的心在馳想着，
這湘江上曾經作過多少次革命戰場！
可是這個負載着民族光榮和恥辱的土地呀！

今日在苦難中又發出新時代的火光。
爲民族革命戰爭的火焰燃燒着，
從鴨綠江一直到瀾滄江上；
從帕米爾高原到東海濱，
多少人爲祖國的自由解放在武裝。

湘江，在他的古老的姿態中，
也給我們是露出他的英勇的形相，
今天他是憂鬱而美麗的，
月色朦朧中，他好像是松花江一樣。
如同在松花江上一樣，
我看見多少的火把在高張。

新的旅途

在墟廢中是蘊藏着多少復仇的種子，
湘江今天他在他的戰鬥中生長！

今天我渡過了這琥珀色的湘江，
湘江原野上是一片蒼茫，
（多少苦難的回憶在我的心上縈迴着，）
我戰慄地憧憬着他的未來的榮光。

四〇、十一、十四、夜、坪石。

寄意

多少話，
不知從哪里說起！
如同雰霧罩籠着這北江，
我心里是罩籠着憂鬱！

那一天，
懷着一顆飄泊的心，
我離開了你們，
在黃昏中，
在蒼茫的月色里，
我離開了你，
離開了立立。
在朦朧的後半夜，
我別了桂林，
在又一個朦朧的後半夜，
我到了坪石。

那一天，

微風跪蕩中，
我走上小溪的板橋，
對着一個遠去的黑影呀，
你們現在
是不是還懷着多少記憶！

現在我好像不知道，
是受着運命的支配，
還是爲的工作？
多少的任務是要我們担負呀！
在我們的祖國里，
是有作不完的工作。
爲什麼懷着一顆戰鬥的心，
同時又感着憂鬱和飄泊！

創作叢書

在月夜里，
我渡過了琥珀色的湘江；
湘江的水真是美麗！
我想着這一道水流過你的家鄉，
如同松花江流在我的鄉里。
我想到牠流過嶽麓山，
我想到嶽麓山的雲和月，
我想到牠又流到洞庭湖，
又流到揚子江里，
我想到湘江的古老的傳說，
我也想到祖國的現在和過去。
我是多麼興奮和戰慄呀！
在湘南的山野中呀，

煙霧，迷茫地，罩籠着
祖國的美麗的大地！

坪石是美麗的，
美麗的北江岸上的一條美麗的土地
從黃昏到清晨，
北江上是堆集着濃的煙霧。
白天，一帶晴江，
兩岸是依然蒼綠。
可是，自然的美麗是有什麼用，
如果是祖國沒得到解放和自由！
這裏的無限的美景呀，
是使我感到鄉愁，
是使我生起無限的回憶！

在這大庾嶺的巔頂上，
我對窗戶，
望着那蒼翠的樹林和荒山，
我也想到你，
在那小樓上邊，
對着桂林的山野和田地。
對着那美麗的自然呀，
你是不是也感到哀愁呢？
祖國沒有得到解放和自由，
對着美麗的自然，
我永遠是感不到歡喜和安慰！

那一天，

在誰都要看不見誰的臉面的黃昏裏，
我離開了你們，
離開了你和立立，
我懷着一顆飄泊的心，
我也懷着熱烈的戰鬥的意志，
「努力工作呀！再見！」
我聽見你是那樣地說。
爲的祖國的新文藝的建設，
我們已被注定了要用盡最後的一滴血。
現在你已經開始寫作了。
可是現在我一邊懷着熱望。
爲什麽一邊却感憂鬱？
如同朝霧罩籠着北江上。

憂鬱籠罩在我的心里。
但是，如同太陽撕破江山的濃霧一樣，
我要用忿怒的戰鬥的烈火，
燒破我的憂鬱。
慧！請你叫立立大喊一聲罷：
「爸爸！給我多喫一碗飯，
「我一個人也要打日本鬼子去！」
十一月，十五日，坪石。

鄭伯奇主編

・創作叢書之二

牛全德與紅蘿蔔

中篇小說

姚雪垠著

本書是游擊隊和農民們的小說，姚先生抽寫，「牛全德與紅蘿蔔」兩個農民參加了一個游擊分隊中，他們兩個人是同一個村莊上生長的，一個是村莊上無業的光棍，曾當過十多年老兵，一個是村莊上的有田地妻兒的樸實的農民，因敵人侵佔村莊而打游擊，但他們兩人是不要好而且仇恨的。在隊中每生沖突及睹忌。有一次他們的分隊被敵人襲擊時，「紅蘿蔔」在危險的當兒，「牛全德」丟棄了一切平時間的仇恨，搶救了自己的同志「紅蘿蔔」。因此而自己受到了敵人的槍彈。內容的緊張，及材料的有意義，著者筆法生動。讀過他「差半車麥稭」及「春暖花開的時候」兩個短篇小說的人們都一致推崇的，本書的內容更較上面兩個短篇爲佳，約在九月底以前出版。

創作叢書之三

窮巷之冬

短篇小說

莊瑞源著

此書是莊瑞源先生數個短篇集合而成，著者近來不常寫文藝作品，本書是著者抗戰來第一本短篇小說，內容很是豐豐，篇篇佳作。十月內出版。

文座出版社發行

地址：重慶公園路四號

創作叢書之一

新的旅途

定價國幣伍元

著作人　穆木天

主編人　鄭伯奇

發行人　陳君毅

發行所　文座出版社

重慶公園路四號

中華民國三十一年九月渝初版　一——三〇〇〇

重慶市圖書雜誌審查處審查證二六一一號

AN01

重慶市圖書雜誌審查處審查證世圖字二六一

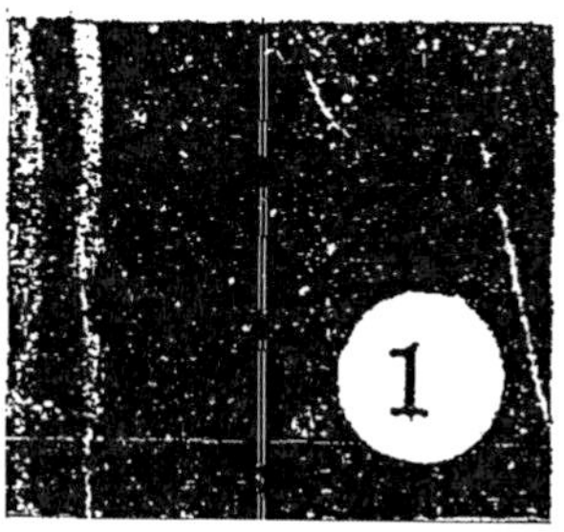